COMMENT
EXPLIQUER LA VIE
À UN ENFANT

DANS LA MÊME COLLECTION

1. Le petit manuel du barman

2. Votre destin dans les cartes

3. Vaincre le tabac en 5 jours

4. Attention! Les autres étudient
   votre personnalité

5. L'étiquette moderne

6. L'auto hypnose

7. Exercices pour elle et pour lui

8. Comment expliquer la vie à un enfant

EN VENTE PARTOUT

COMMENT
EXPLIQUER LA VIE
À UN ENFANT

ÉDITIONS SÉLECT

Dépôt légal :
Bibliothèque nationale du Québec
Bibliothèque nationale du Canada
Deuxième trimestre 1981

Titre original : **Explaining Life to a Child**

Published by arrangment with
Dell Publishing Co. Inc., New York, U.S.A.
authorized Purse Book publisher.

ISBN : 2-89132-531-1
Poche : 351M

TABLE DES MATIÈRES

Introduction 7
Dieu et la religion 11
L'ABC du corps 18
La pudeur   la sienne et celle des autres 28
La naissance 34
La mort 45
Scènes de ménage 53
Le divorce 58
Il est malade 66
Un autre est malade 73
Questions D'argent 80
L'adoption 88
La mère au travail 94

INTRODUCTION

À partir du moment où il vient au monde, un enfant est un être humain distinct, particulier. Et comme chaque enfant est unique, il n'y a pas de règles fixes ni de formules figées pour lui expliquer la vie. C'est à vous de décider quand, comment et avec quels mots vous répondrez aux questions de votre enfant, en vous guidant sur les exigences de son individualité. ☐ N'oubliez pourtant pas, au moment où vous cherchez des réponses à des questions parfois épineuses, que votre explication — ainsi que la manière dont vous la donnerez — pourra exercer une grande influence sur la vie affective de votre bambin. C'est qu'en lui parlant de la naissance, de la mort, de la religion et de tout le reste vous ne faites pas que satisfaire sa curiosité ou qu'apaiser ses craintes, mais — ce qui est bien plus important — vous façonnez son esprit et son cœur, ses pensées et ses sentiments. Par exemple, pour peu que vous refusiez de répondre aux questions touchant le sexe (ou que vous les traitiez comme si elles frisaient la vulgarité), votre enfant aura toutes les chances d'arriver à croire que tout ce qui touche au sexe est interdit, que ce sont des choses horribles que les gens comme il faut ne font pas. Évitez de donner des réponses honnêtes au sujet de la mort et il grandira dans une crainte exagérée de perdre ceux qu'il aime, dans une inquiétude déraisonnable pour sa propre santé et ainsi de suite. □ Tous les parents souhaiteraient épargner les souffrances et les craintes à leurs enfants, mais ce n'est pas toujours possible. Parfois on ne peut que les aider à accepter les dures réalités de la vie. Les parents sages le comprennent. Ils se rendent compte qu'ils ne peuvent pas offrir de meilleure protection à leurs enfants que de cultiver leur capacité de faire face au monde qui les entoure. D'autres parents, pleins d'affection mais moins sages, ne préparent pas leurs enfants à affronter la réalité. Considérons par exemple une mère qui dit à son fils que le père — grièvement malade — sera « bientôt de retour ». Elle tente, bien sûr, d'éviter au petit les craintes et l'anxiété, mais son mensonge « blanc » ne le prépare pas à supporter l'éventuelle perte de son père. Si celui-ci venait à mourir, non seulement l'enfant subirait un choc et un chagrin soudain, mais il perdrait de plus une partie de la confiance qu'il a dans sa mère. Elle lui a dit « papa sera bientôt de retour ». □ Soyez honnêtes envers vos enfants lorsque vous leur expliquez la vie —

tout en ne dépassant pas leur niveau d'entendement. Donnez des réponses simples, mais véridiques, développez progressivement les explications traitant de sujets compliqués. Au moment où, par exemple, votre gosse de trois ans vous demande d'où viennent les bébés, dites-lui seulement « De l'intérieur de leur maman. » Après quoi, attendez, laissez-vous guider par lui. Il vous posera bien des questions dès qu'il voudra en savoir davantage et ainsi, petit à petit (d'habitude au long de plusieurs années), vous pourrez lui dévoiler le miracle de la naissance. □ Ce livre contient les questions fréquentes que les enfants ont posées à leurs parents depuis des siècles, en même temps que des modèles de réponses, lesquels vous aideront à découvrir les explications qui s'adaptent le mieux à votre propre enfant ou à votre propre philosophie de l'existence. Comme tout parent, vous ne trouverez pas toujours vite ni facilement les réponses aux questions de votre enfant. Comme tous les parents, vous commettrez des fautes. Cela importe peu. Ce qui importe est d'orienter votre enfant dans la bonne direction, de lui expliquer les complications de la vie en sorte qu'il puisse y faire face.

CHAPITRE I

DIEU ET LA RELIGION

Vous n'êtes pas sans savoir — quelle que soit votre croyance — que la religion enrichira et simplifiera la vie de votre enfant. Elle lui fera concevoir qu'il existe un ordre dans le monde ; elle lui fera connaître une Autorité Suprème ; elle lui donnera un code de morale. La religion fournira en même temps la réponse à de nombreux mystères de la vie qui intriguent les enfants. □ Les questions sur la religion — ou concernant la religion — commencent d'habitude quand le jeune a environ quatre ans : l'âge où il s'intéresse pour la première fois de façon active et avec curiosité à la vie qui l'entoure. Les réponses que vous lui fournirez dépendront pour une bonne part de votre propre religion et de la conception personnelle que vous avez de Dieu. Mais n'oubliez pas que vous devez avant tout offrir des explications claires et générales — assez simples pour qu'une petite tête puisse les saisir facilement.

Si vous ne savez pas comment répondre à certaines questions plus particulières, il vaut parfois mieux dire franchement : « Je ne sais pas », et puis demander la réponse à votre prêtre, pasteur ou rabbin. □ Voici quelques-unes des questions fréquentes que les enfants posent au sujet de la religion ou concernant la religion. Les réponses que nous suggérons sont d'un caractère général, présentées en grandes lignes. Ce sont des explications telles que les enfants aient des chances de les comprendre. N'oubliez pourtant pas lorsque vous parlez de religion à votre enfant : vos paroles seront perdues et vides de sens si vos actions de tous les jours n'en sont pas la confirmation.

« Qui a fait le ciel (ou le soleil ou les étoiles, etc.) ? »

C'est le type de question qui se trouve souvent à l'origine de nombreuses discussions sur Dieu et sur le monde qui nous entoure. Parce qu'il se peut que l'enfant n'associe pas Dieu au monde de tous les jours où il vit, quoiqu'on l'ait conduit à l'église depuis sa naissance, quoiqu'il ait entendu prononcer l'action de grâces avant chaque repas et même si on lui a fait apprendre quelques prières simples. En réponse à sa question sur le soleil, le ciel, etc., il faut lui expliquer que c'est Dieu qui les a faits ; que Dieu a créé les fleurs et les arbres, l'eau et l'herbe — tout ce qui existe dans la nature, y compris les êtres humains.

« *Qui a fait Dieu ?* »

Une fois qu'on aura répété assez de fois à l'enfant que c'est Dieu qui a créé le monde, il n'est que logique que le jour vienne où il demande qui a fait Dieu. Répondez en expliquant que personne n'a créé Dieu, que Dieu a toujours existé et existera toujours.

« *Dieu est-Il un homme ou une femme ?* »

Il y a bien peu d'enfants à ne pas poser cette question puisqu'ils commencent très naturellement par s'imaginer Dieu comme un être humain (d'habitude comme un homme, à cause du pronom « Il » qu'on emploie pour Le désigner). Il faut alors tenter de faire comprendre à votre enfant que Dieu n'est ni homme ni femme, qu'Il n'est pas un être humain, mais un Être Suprême — un esprit qui se trouve partout à la fois.

« *Si Dieu est Dans le Ciel, comment peut-Il être aussi ici ?* »

Répondez à ce genre de questions en répétant que Dieu est partout à la fois, qu'Il n'a pas de corps et qu'Il n'est pas soumis aux limitations humaines. □ Les enfants renoncent difficilement au début à l'image de Dieu pareil à un être humain. Ils reviennent donc souvent à la charge avec des questions similaires : « Comment Dieu peut-Il voir s'Il n'a pas d'yeux ? « Comment Dieu peut-Il entendre s'Il n'a pas d'oreilles ? » etc.

Revenez de votre côté avec la même explication : Dieu est un esprit et non un simple être humain, il ne Lui faut ni yeux, ni oreilles, ni mains ni rien d'autre. Dieu est Suprême, Il est partout, il voit et il entend, tout à la fois.

« Dieu sait-Il tout ce que je fais ? »

La réponse à cette question est bien entendu « Oui ». Ajoutez cependant que Dieu veille avec amour et **non** comme un juge sévère prêt à punir. Insistez sur l'image de Dieu Père protecteur de l'humanité, qui pardonne et qui fait grâce. Il y a des parents (heureusement rares) qui tentent d'employer la religion comme un outil disciplinaire. Incapables de maîtriser eux-mêmes leurs enfants, ils les menacent de la colère divine. Le résultat est que les jeunes arrivent à craindre Dieu et non à Lui faire confiance.

« À quoi ressemble le Paradis ? »

Répondez en expliquant que personne ne sait à quoi le Ciel ressemble et pas même où le Paradis se trouve. Ajoutez cependant que le Paradis est très beau et que tous ceux qui y vivent sont heureux.

« Dieu écoute-t-il mes prières ? »

Quoique vous lui ayez déjà dit que Dieu écoute à tout instant, il désire une assurance toute particulière que Dieu l'écoute lorsqu'il prie. Donnez-lui bien entendu cette assurance et faites-lui comprendre aussi que Dieu entendra ses prières quel que soit l'endroit et quel que soit le temps où il les dira.

« Pourquoi Dieu ne répond-il pas toujours à mes prières ? »

L'enfant qui pose cette question est d'habitude déçu et vos explications devraient lui faire saisir que Dieu répond bien toujours à ses prières, mais sans que la réponse soit forcément celle que le petit attendait. Il se peut par exemple qu'il demande quelque chose qui ne serait pas bon pour lui. Dieu répond à sa prière en ne lui accordant **pas** cette chose ; et en lui faisant donc savoir qu'il ne faut pas qu'il ait ce qu'il désirait.

« Pourquoi Dieu a-t-il permis que mon chiot se fasse tuer ? »

La mort d'un animal chéri — ou pire encore, la maladie ou la mort d'une personne aimée — peut semer la confusion et le trouble dans l'esprit de l'enfant le plus croyant. Le bambin bouleversé et malheureux demande pourquoi Dieu permet que de « mauvaises » choses se passent si vraiment il aime tous les hommes et veille sur eux. □ Il n'y a qu'une seule réponse que vous puissiez offrir à de telles questions : qu'il faut que « la volonté de Dieu soit faite », que c'est la réponse que vous avez vous-même acceptée et que même si Ses voies peuvent parfois paraître mystérieuses, elles tendent toujours vers notre bien.

« Pourquoi les hommes n'ont-ils pas tous la même religion que nous ? »

Même si vous avez déjà dit à votre enfant qu'il y a beaucoup de religions dans le monde, il se peut qu'il ne l'ait pas saisi avant de rencontrer un enfant d'une autre croyance. C'est alors qu'il sera conscient des différences entre les religions — et aussi curieux à ce sujet. La meilleure réponse que vous puissiez donner est que les hommes ne partagent pas tous la même croyance en Dieu, dans la Bible, etc., qu'il y a de nombreuses religions qui ont des traits communs, mais que chaque croyance a ses propres principes fondamentaux. Insistez sur le fait que dans les États Unis tous les hommes sont libres de croire ce qu'ils veulent et que même si on n'est pas d'accord avec les enseignements d'une autre religion, il faut respecter tous les hommes, quelle que soit leur croyance. □ Les préjugés religieux sont une chose très laide. Empêchez-la d'entrer dans votre maison, en vous assurant que votre enfant apprend à respecter le droit des autres à croire comme bon leur semble.

« Qu'est-ce que la religion judaïque (ou catholique, ou protestante) ? »

Le temps viendra où votre enfant vous posera des questions sur une certaine religion en particulier. Tâchez de vous y préparer en apprenant le nécessaire au sujet des principales religions pour pouvoir répondre clairement, sans louvoyer et sans devoir avouer votre ignorance. Si pourtant vous ne pouvez pas répondre, mieux vaut avouer que vous ne connaissez pas le point qu'il a soulevé et le diriger vers votre pasteur, prêtre, rabbin — ou y aller vous-même.

« Pourquoi le garçon qui habite en face dit-il que son père et sa mère ne croient pas en dieu ? »

Cette question (ou une autre similaire) est tout aussi inévitable. Car tôt ou tard votre enfant en rencontrera bien un autre dont les parents nient l'existence de Dieu (ou en doutent). Il réagira à sa rencontre avec les athées par l'indignation, par la crainte, par la colère — selon son âge et selon son éducation religieuse. Mais quelle que soit sa réaction initiale, c'est votre réponse à vous qui aura le plus d'influence sur lui. Et quelle serait la réponse idéale? Le mieux est de lui expliquer calmement, simplement, que votre foi en Dieu est inébranlable, mais que les autres sont, bien entendu, libres de croire ou de ne pas croire, comme ils le veulent. Il faut traiter l'affaire comme quelque chose de naturel et il faut en même temps vous montrer impartial.

CHAPITRE II

L'ABC DU CORPS

Votre enfant prend connaissance de son corps presque au moment même où il vient au monde. Ses premières sensations agréables seront d'être nourri, baigné, emmailloté et dorloté. Plus tard, à mesure qu'il grandit, il s'efforce de découvrir ses doigts, ses orteils et toutes les autres parties merveilleuses dont se compose le corps humain. Vers l'âge de deux ans il commencera à se montrer curieux du corps des autres et à trois ans vous bombardera de questions concernant son corps, votre corps, celui de son père, celui de tout le monde. □ Les réponses que vous donnerez à ces questions sont très importantes car ses attitudes futures envers son propre corps et aussi envers la reproduction et la naissance seront en grande partie le reflet de vos attitudes et de celles de votre mari. Il vous faut donc faire l'examen de vos sentiments **aujourd'hui**, tant que votre bambin est encore très petit. Il se peut que vous soyez soumise à une certaine inhibition à cause justement de l'attitude de vos propres parents pendant votre enfance. Il se peut que votre réaction normale aux questions du bébé soit de murmurer — ou de penser — « Chut ! Ce sont des choses dont on ne parle pas. » Mais vous savez bien que les enfants parlent quand même de ces choses, que ce soit ouvertement ou que ce soit en silence. Ils se posent des questions en même temps qu'ils vous les posent et si vous répondez par des demi-vérités ou si vous les trompez, ils s'inquiètent. □ Il est clair que vous souhaitez voir grandir votre enfant avec un esprit sain, clair. Vous voulez qu'il soit fier de son corps et qu'ils respecte le corps des autres. Alors, quelles que soient les anciennes inhibitions dont vous souffrez, il faudra répondre à ses questions. Au lieu de le renvoyer par « on ne parle pas de ces choses » ou « je n'ai pas le temps maintenant », vous ferez tout ce que vous pourrez pour satisfaire sa curiosité parfaitement normale. □ Mais quels mots emploierez-vous pour lui répondre ? Emploierez-vous des termes scientifiques, donnerez-vous aux parties du corps leur nom latin ? C'est à vous de décider. Ce sont les mots qui vous paraîtront les plus naturels, les mots qui vous embarrasseront le moins que vous devrez employer. Si vous vous sentez plus à votre aise en disant « zizi » plutôt que « pénis », n'hésitez pas, employez le mot qui vous dérange le moins. N'oubliez pas : le simple emploi correct des termes scientifiques n'explique **absolument** rien.

Votre bambin n'a pas besoin d'un cours de biologie et n'en tirera aucun profit. Ce qu'il cherche (et ce qui lui rendra service) ce sont des réponses affectueuses et naturelles à des questions qui parfois l'intriguent et d'autres fois l'effraient. □ Jusqu'où faut-il aller avec la réponse ? Le plus souvent pas plus loin que ne va la question. Encouragez-le à être curieux en répondant à toutes ses questions, mais laissez-vous guider par lui. Dès que son jeune cerveau sera prêt à accueillir de nouvelles informations ou des informations plus développées, il vous le fera savoir. □ Vous ne seriez pas un être humain si certaines questions de votre enfant ne vous coupaient pas le souffle. Et pourtant, aussi coupé que votre souffle soit, aussi choquée (ou quoi que ce soit d'autre) que vous vous sentiez, faites de votre mieux pour ne pas le laisser voir. Rappelez-vous qu'il n'existe pas de sujets «délicats» pour un enfant. Il pose des questions parce qu'il est vif et curieux, parce qu'il cherche la solution des mystères de la vie. Rappelez-vous aussi que l'enfant qui ne pose pas de questions (ou n'en pose plus) aura sans doute senti que ses parents le désapprouvent ou qu'ils sont embarrassés. Cet enfant-là tentera de s'informer ailleurs. □ Vous trouverez ci-dessous les questions que les enfants posent le plus souvent au sujet de l'anatomie. Les réponses que nous suggérons pourront vous servir de modèle et vous aideront à trouver votre propre style pour expliquer les merveilles du corps humain.

« Qu'est-ce que c'est que ça ? »

C'est bien entendu la question de la petite fille qui remarque pour la première fois que le corps des garçonnets est différent du sien. Répondez à la question gaiement, comme si c'était la plus naturelle des choses, par exemple : « C'est le pénis de ton frère, chérie. Tous les garçons en ont un. » Cette brève réponse n'est cependant pas suffisante et même si la gosse paraît pour l'instant satisfaite ajoutez du même ton parfaitement naturel : « Les garçons font pipi par leur pénis. » S'il y a un bébé mâle dans la maison, la fillette le constatera par elle-même, mais si vous l'en avez prévenue au préalable, elle n'en sera ni surprise, ni alarmée, ni choquée.

« Pourquoi n'en ai-je pas aussi un ? Qui me l'a pris ? »

Beaucoup de fillettes acceptent difficilement que seuls les garçons aient un pénis. Leurs yeux leur disent que les garçons ont quelque chose de plus et elles réagissent d'une des deux manières suivantes, ou des deux : 1) en se sentant frustrées, en nourrissant un ressentiment parce qu'il leur « manque » quelque chose ; 2) en s'imaginant qu'elles ont eu elles aussi un pénis autrefois mais que quelqu'un (d'habitude vous) le leur a pris. □ Ces sentiments (qui, bien sûr, sont tout à fait inconscients) ne sont pas du tout inaccoutumés ni étranges. C'es très normal que les fillettes se mettent à désirer ce qu'elles voient de leurs yeux et savent ne pas avoir. Elles se sentent diminuées ou même lésées parce que les garçons possèdent une chose qu'elles ne possèdent pas. □ Comment apaiser ces sentiments ? En disant à votre fille que vous aimez son petit corps — tout comme vous aimez le vôtre. En lui disant que c'est **une chance** que les filles aient un vagin au lieu d'un pénis, ce qui leur permet plus tard dans la vie de faire des bébés (ce que les garçons ne peuvent jamais faire). □ Ne tentez cependant pas de faire croire à votre fille que c'est « mieux » d'être femme. Contentez-vous de lui faire comprendre par vos actes aussi bien que par vos paroles que c'est bien agréable d'être femme, que les garçons et les filles sont en effet différents, mais que chaque sexe a ses avantages et ses désavantages. □ Il se peut que votre fille vous pose à cette occasion des questions au sujet de la naissance — si elle est assez âgée et assez développée. Si elle le fait, n'hésitez pas à lui répondre (Voir Chapitre IV). Si elle ne pose pas de questions, laissez tomber — mais rappelez-vous, les filles ont besoin d'encouragements pour accepter leur état de filles plus que n'en ont les garçons pour accepter leur état de garçons. Encouragez votre fille en vous montrant fière et satisfaite d'être femme, heureuse d'être femme.

« Qu'est-il arrivé au pénis de ma soeur ? »

Les garçons sont tout aussi surpris que les filles — et souvent consternés — en découvrant que les sexes sont différents. Avant de voir une fillette — ou sa mère — déshabillée, un garçon suppose naturellement que tous les corps sont pareils au sien. □ Le jour où votre fils s'apercevra de la différence, il est important que vous lui expliquiez que les filles ne sont pas faites pour avoir un pénis, qu'elles doivent être différentes des garçons. Autrement, si vous vous contentez de dire en passant : « Ta sœur n'a pas de pénis, » il se peut qu'il s'imagine qu'elle a eu un accident, qu'elle a perdu son pénis et qu'il pourrait donc lui aussi perdre le sien. □ Épargnez à votre fils ces anxiétés et ces idées fausses en lui expliquant simplement que les garçons et les filles — de même que les hommes et les femmes — sont « bâtis » de façon différente, que les garçons ont un pénis et les filles un vagin. Pourquoi ? Afin que les filles puissent être mère quand le jour viendra et que les garçons puissent être pères. Les fillettes ne peuvent-elles pas être pères ? Non. Pourquoi ? Parce qu'elles sont des filles et ont un vagin au lieu du pénis. □ Si votre garçon accepte ces réponses sans d'autres questions, laissez tomber. Vous lui aurez fait comprendre l'essentiel, que seuls les garçons ont un pénis.

« Pourquoi celui de papa est-il tellement grand ? »

Cette question viendra le plus normalement de votre garçon, non de votre fille, parce que les garçons adorent leur père et veulent l'égaler. Un garçon (même un tout petit garçon) s'inquiète en secret de ne pas pouvoir arriver à être comme son père. □ Rassurez votre fils en lui faisant remarquer l'évidence, que tout ce que son père a est plus grand, et en l'assurant que pour lui aussi, à mesure qu'il grandit, toutes les parties de son corps grandiront en proportion.

« *Maman, que sont ces bosses ?* »

Vos seins (ces «bosses» ou simplement ces «choses») attireront un jour l'attention de votre fils. Que sont-elles ? Pourquoi papa n'en a-t-il pas ? En aurai-je ? □ Votre réponse peut être simple et directe. «Ces bosses» s'appellent des seins. Toutes les femmes en ont et les emploient pour y déposer du lait pour les nouveaux bébés. Papa n'en a pas parce qu'il ne fait pas d'enfants. Il en pousse aux fillettes à mesure qu'elles grandissent (une consolation pour la vôtre, qui continue de bouder parce qu'elle n'a pas de pénis). Les garçons n'en ont pas.

« *Pourquoi toi et papa avez-vous des poils là ?* »

Les enfants remarquent souvent les poils pubiens et posent des questions à ce sujet avant de découvrir les poils sur la poitrine ou sur le visage de leur père, sous les bras de leur mère, etc. Mais en attirant leur attention justement sur ces autres parties du corps où les adultes ont des poils, vous pourrez facilement répondre, par exemple : «À mesure que les gens grandissent il pousse des poils sur des tas de parties de leur corps. Tout le monde a des poils sous les bras et sur les jambes, les hommes en ont près de leur pénis, les femmes près de leur vagin. Cela tient du fait de devenir adulte. »

MASTURBATION ET PROBLÈMES SEXUELS

Nous avons déjà dit que les enfants prennent conscience de leur corps à un âge très tendre. Leur curiosité naturelle les incite à explorer, à découvrir chaque partie de leur corps et à s'en réjouir. La plupart des enfants découvrent leurs parties génitales vers l'âge de six mois et à mesure que le temps passe et qu'ils en font la connaissance à l'occasion de leur toilette ils s'y intéressent davantage. Il arrive que des bambins âgés d'un an s'explorent et jouent eux-mêmes dans un état qui frise la fascination. Les enfants entre trois et six ans commencent à sentir de vagues élans sexuels. Ils ont découvert qu'il est agréable de toucher les parties génitales et qu'on y trouve aussi du réconfort dans les moments difficiles. □ Comment faire face à ces situations ? Que faire quand vous tombez sur votre bébé d'un an se caressant ? Que faire en remarquant votre gosse de trois ans qui le fait d'un air distrait en public ? Rappelez-vous d'abord ce que vous ne devez **pas** faire. Ne frappez pas sa main, ne la tirez pas de côté, ne lui dites pas « Arrête ! Tu te feras mal. » Ne faites rien qui pourrait laisser comprendre qu'il est interdit de s'amuser en touchant les parties génitales. □ Que faire alors ? Seulement ceci : s'il vous semble que l'activité se prolonge, tentez de distraire l'enfant avec un jouet ou avec une autre occupation. Sinon ne faites rien. Rappelez-vous : la masturbation est une activité **naturelle** pour les enfants. Elle ne leur fera pas de mal, elle ne les rendra ni malades, ni nerveux, ni méchants. Mais ce qui leur fera **certainement** du mal — pour ce qui est de leur affectivité — c'est qu'on leur fasse sentir que se toucher est une chose sale ou que c'est anormal. Si vous introduisez ces idées dans l'esprit d'un enfant, il (ou elle) pourra finir par croire que quelque chose de mauvais ou même de contaminé s'attache aux parties génitales ; donc que tout ce qui est sexuel est mauvais ou inquiétant. □ Un excès de masturbation prouve qu'un enfant est tendu, soucieux. Tous les enfants passent par ces moments mais si le vôtre continue à se caresser exagérément (et s'il y a d'autres indices tendant à prouver qu'il serait excessivement nerveux, contrarié, etc.) cherchez la **cause** de son comportement, la crainte souterraine qui le tourmente. Si vous ne pouvez pas la découvrir ni résoudre le problème seule, demandez l'aide d'un professionnel — en vous rappelant qu'un enfant troublé a besoin d'un surplus de compréhension et non d'un surplus de punitions. □ Entre trois et six ans d'âge la plupart des enfants sont tout aussi intéressés par les corps de leurs compagnons de jeu qu'ils le sont par le leur. Il se peut donc que, comme la plupart des mères, vous découvriez le vôtre et ses amis jouant au docteur ou à quelque chose d'équivalent. Que faire ? Dissimulez tout sentiment de révolte ou de colère et proposez simplement sans avoir l'air de rien un autre jeu. Surveillez, bien sûr, votre enfant (et faites votre possible pour l'occuper, ainsi que ses amis), mais ne vous transformez pas en policier qui épie. Rappelez-vous que, comme la masturbation, la curiosité au sujet des parties génitales des autres est un phénomène de croissance. À moins que votre petit ne se montre exagérément curieux, son intérêt pour les corps de ses compagnons de jeu n'a aucune raison de vous inquiéter.

CHAPITRE III

LA PUDEUR : LA SIENNE ET CELLE DES AUTRES

Comme nous l'avons fait remarquer au chapitre II, la curiosité de votre enfant pour son propre corps s'étend bien vite au corps de presque tout le monde. Tandis qu'il ne vous accordait la veille que peu d'attention quand vous preniez votre bain, il se peut qu'il veuille tout à coup vous observer — et non seulement vous mais aussi bien son père, la parenté, le monde entier. Il se peut aussi qu'en regardant de ses yeux innocents il pose de ces questions qui mettent dans l'embarras le plus blasé des adultes. En d'autres mots, le temps est venu de commencer à lui faire apprendre la pudeur. □ C'est de vous et de votre mari que dépendent les limites de cette pudeur. Êtes-vous pudiques ou indifférents à votre nudité ? Tenez-vous à être seuls dans la salle de bains ou une intrusion accidentelle ne vous dérange pas ? Mais quel que soit le degré auquel vous décidiez de pousser la pudeur, votre enfant doit apprendre qu'elle existe — certes, sur un ton naturel, en accord avec son enseignement antérieur. □ Les questions suivantes sont celles que les enfants posent tout particulièrement au sujet de la pudeur. Les réponses que nous suggérons devraient vous permettre de trouver celles par lesquelles vous expliquerez à votre petit que tout le monde a sa pudeur, y compris lui-même.

« *Pourquoi faut-il que je porte des vêtements ?* »

Si l'enfant est très petit vous pouvez lui répondre simplement : « Parce que tout le monde en porte. » Mais s'il approche de quatre ans, il est préférable de développer votre réponse en ajoutant que les vêtements tiennent chaud, qu'ils protègent la peau de la saleté, de la pluie et du soleil et aussi qu'ils embellissent. □ Habituellement les enfants de deux ans adorent se déshabiller, et l'endroit ni le moment où ils le font n'importent pour eux. Si le vôtre le fait, gardez votre calme et aidez-le tranquillement à se rhabiller. S'il enlève ses vêtements en public, demeurez particulièrement calme. Les petits enfants souhaitent concentrer le plus possible votre attention sur eux. Si donc vous accordez de l'importance au fait qu'il ait enlevé ses vêtements, vous pouvez être sûre qu'il recommencera chaque fois qu'il se sentira négligé.

« Pourquoi ne puis-je pas te regarder prendre ton bain ? »

Même si vous n'êtes pas exagérément pudiques, le jour viendra où votre mari ne prendra plus son bain en présence de votre fille et où vous fermerez la porte de la salle de bains devant votre fils. La plupart des spécialistes considèrent qu'il faudrait commencer à introduire ces restrictions vers le moment où les enfants approchent de cinq ans, mais quel que soit leur âge au moment où vous-même vous y décidez, faites-le avec le plus grand naturel. Faites comprendre à vos enfants qu'il n'y a rien de mystérieux ou de défendu dans la nudité mais que simplement l'usage veut qu'à partir d'un certain âge les gens prennent leur bain seuls — ou seulement en présence de personnes du même sexe. □ Il faut éviter toute pruderie car c'est ce qui renforce la curiosité normale du bambin en attachant à la nudité l'attrait de l'objet défendu, en lui donnant le sentiment que c'est anormal d'être nu ou, encore pire, que c'est en quelque sorte obscène. Cherchez à réaliser une heureuse moyenne en matière de pudeur. Il ne faut pas plus vous promener ouvertement sans rien sur vous que vous mettre dans tous vos états parce que votre gosse vous a vue nue. D'après la plupart des experts en éducation, il faudrait permettre aux très petits enfants de jouer nus dans la cour, d'assister quand leurs frères et sœurs prennent leur bain et à l'occasion de voir leurs parents dévêtus.

« *Pourquoi ne puis-je pas dormir avec toi et papa ?*»

Le besoin de se serrer contre sa mère ou contre son père est très puissant chez le bébé. Mais pour l'aider à s'acheminer fermement vers la maturité, pour qu'il puisse devenir un individu indépendant, il faut le sevrer tôt du lit et de la chambre à coucher de ses parents. ☐ Si votre maison ressemble à la plupart des maisons d'aujourd'hui, il ne s'y trouve pas un excès d'espace. Il se peut qu'en ramenant votre enfant de la clinique vous l'ayez placé dans un berceau posé dans un coin de votre chambre à coucher. Si tel est le cas, déménagez-le au plus vite dans une autre pièce. Pourquoi ? Parce qu'il s'habituera à votre présence et qu'il se sentira abandonné et meurtri quand vous le laisserez seul. Une autre raison ? Parce que même un bébé entend le bruit que font ses parents au cours des rapports sexuels et que ces bruits le dérangent. ☐Dès que l'enfant aura sa propre chambre (ou son coin), veillez à ce qu'il y dorme toutes les nuits. Chaque fois qu'il vous demande pourquoi il ne peut pas dormir avec vous, dites-lui fermement qu'il a sa place à lui, que son père et vous avez votre place à vous et que tout le monde doit regagner sa place au moment d'aller dormir.

« *Pourquoi ne puis-je pas assister quand tu vas au cabinet ?*»

Il y a certaines questions sur la pudeur qui n'exigent pas des réponses trop savantes. Il faut répondre simplement au gosse qui pose une telle question : « Parce que c'est une affaire intime et que les adultes préfèrent être seuls à ces occasions. » Ou bien : « C'est pareil pour tout le monde, pour le père comme pour le fils, pour la mère comme pour sa fille, et les adultes n'ont pas besoin qu'on les aide. Toi aussi tu pourras rester seul dès que tu n'auras plus besoin d'aide. »

« Puis-je voir ton pénis, oncle Jean ?»

La question peut venir aussi bien de votre fils que de votre fille mais que ce soit l'un ou l'autre qui la pose (ou une autre question équivalente) l'effet sur votre visiteur sera terrible. Votre réaction ? Gardez votre calme, souriez et dites quelque chose de ce genre : « Oh, tu sais, chérie, l'oncle Jean n'a pas envie de se déshabiller maintenant. Mais il voudrait en revanche voir ta nouvelle poupée. Va donc la chercher. » □ Les enfants des deux sexes passent par l'époque où ils veulent vérifier de leurs propres yeux que ce que vous leur avez dit est vrai.

Les hommes ont-ils tous un pénis ? Les femmes ont-elles toutes un vagin ? Et sont-ils tous pareils — pour ce qui est de la forme et des dimensions ? □ La manière dont vous devrez réagir face à ces questions dépend beaucoup du temps qu'elles dureront. Évitez-les avec calme si vous souhaitez qu'elles s'arrêtent rapidement, car si vous les ignorez ou si vous leur accordez trop d'importance elles risquent de s'éterniser — soit tout haut soit en silence. N'oubliez pas, c'est la curiosité qui engendre ces questions mais vos réactions peuvent transformer cette curiosité en fascination morbide.

« Pourquoi ne puis-je plus prendre mon bain avec ma soeur ? »

Il est souvent commode pour une mère surchargée de travail de faire prendre leur bain ensemble aux enfants entre lesquels la différence d'âge est petite, mettons d'un an. Mais il vaut mieux séparer les garçons des filles vers l'âge de trois ou quatre ans. Votre réponse quand votre bambin vous demandera pourquoi ? « Parce que tu as grandi maintenant et que les grands garçons et les grandes filles prennent leur bain seuls, avec à peine un peu d'aide de la part de maman. » Invoquez aussi la propreté — de l'eau claire pour chacun des deux bains.

CHAPITRE IV

LA NAISSANCE

La curiosité que la vie inspire aux enfants est ce qu'il y a de plus naturel. Préparez-vous donc à répondre aux inévitables questions du vôtre au sujet de la naissance, de la gestation et des rapports sexuels. Les premières viendront peut-être lorsque votre fils ou votre fille auront dans les trois ans, après quoi elles se répéteront au long des années, continuant parfois au-delà de la puberté. Il vous faudra recommencer indéfiniment l'histoire du sexe et de la naissance, en la développant petit à petit à mesure que s'ouvre l'entendement de votre enfant. Prenez patience et dites-vous bien que vous n'en aurez pas fini simplement pour avoir fourni les explications adéquates. Rappelez-vous aussi que si vous vous montrez inquiète ou embarrassée quand vous devez répondre à ces questions, il y a toutes les chances que le petit n'en pose plus du tout. Si cela se passe, ne vous y méprenez pas, ne vous

imaginez point que vous avez satisfait sa curiosité. Car si vos réponses ne le contentent pas il ira
en chercher ailleurs et il se peut que là on lui
fournisse des informations qui ne soient pas du
tout dans vos vues. C'est donc à vous de lui
raconter l'histoire du sexe et de la naissance et
vous devez le faire avec toute la chaleur dont vous
êtes capable. □ Il est important que vous répon-
diez aux questions de votre enfant aussi naturellement et tranquillement que possible et pour
être en mesure de le faire il serait sage d'y penser
en temps utile pour traduire ce que vous aurez à
lui dire dans le langage le plus élémentaire que
vous pourrez imaginer. Il faudra d'abord, pour
les premières questions, répondre simplement,
sans entrer dans des détails qui ahuriraient le
petit. Dites toute la vérité que vous pouvez lui
dire, mais n'en dites **pas** plus qu'il ne demande. Il
se peut qu'au début le bambin aime cette histoire
comme un conte de fées et qu'il vous demande de
la lui raconter encore et encore. À l'âge de trois
ans la réalité et l'irréalité se confondent. Le fait
d'avoir grandi à l'intérieur de sa mère est tout
aussi compréhensible à un enfant, tout aussi
fascinant pour lui que l'histoire du garçonnet qui
montait au ciel sur la tige du haricot. Les détails et
les explications logiques présentent peu d'importance pour un gosse de trois ans. La seule chose
qui importe est de le rassurer par la répétition, par
votre franchise, par la certitude que vous répondrez toujours à ses questions. □ Il n'existe pas de

réponses toutes faites, il n'y a pas de formules spéciales pour expliquer aux enfants «les vérités de la vie» Et c'est de nouveau uniquement pour vous guider que nous donnons ci-dessous quelques-unes des questions typiques — presque classiques — que les enfants posent sur ce sujet et que nous suggérons certaines réponses simples.

« *D'où suis-je venu ?* »

Ceci ou « D'où viennent les bébés ? » est une des premières questions que votre bébé devrait vous poser. Votre réponse doit être simple, tranquille, sans rien de mystérieux dans la voix. Tout ce qu'il faut dire est : «Tu as poussé à l'intérieur de maman, chéri. » Mais les questions peuvent se suivre de fil en aiguille. La séance de questions et de réponses pourra souvent avoir l'aspect suivant.

« *Où ça, à l'intérieur ?* »

Au lieu d'entrer dans des détails, vous pourriez répondre simplement : «Dans un endroit spécial qui se trouve près de l'estomac mais qui n'est pas l'estomac où va la nourriture. » Si on vous demande maintenant comment s'appelle cet endroit spécial, vous pourrez répondre : «C'est la matrice. » Si vous êtes visiblement enceinte en ce moment ou si vous avez une amie ou une parente qui le soit, vous pouvez montrer le ventre et dire qu'un nouveau garçonnet ou une nouvelle fillette s'y prépare pour venir au monde. Ne vous dépêchez cependant pas, s'il s'agit de vous-même, de parler à l'enfant du frère ou de la sœur à venir. La mémoire des enfants est très courte et le meilleur moment pour leur dire la nouvelle serait alors qu'il y aura encore six à huit semaines jusqu'à l'accouchement. Le lui dire longtemps à l'avance risque de le troubler parce qu'il est difficile pour lui de comprendre quelque chose devant se passer dans l'avenir. Ceci s'applique dans une certaine mesure aussi aux enfants plus âgés. S'il leur faut y penser trop longtemps, l'idée risque de les ennuyer ou même de les irriter. Le mieux est d'attendre que votre futur bébé commence à être très actif et que votre grossesse soit très visible. Faites sentir alors à votre gosse les mouvements du bébé à venir. S'il y a des animaux là où vous vivez, vous pourrez aussi faire une comparaison entre les bébés humains et les bébés des bêtes. Pourtant, à moins que vous ne viviez dans une ferme où la mise bas est un fait quotidien, on considère que mieux vaut ne pas commencer par faire assister le petit à une naissance d'animaux pour l'aider à comprendre la naissance des êtres humains.

« Comment le bébé est-il entré dedans ? »

Pour les gosses de trois à quatre ans la réponse la plus simple et tout à fait suffisante sera : «C'est papa qui l'y a planté.»□ Un an ou deux plus tard cette réponse ne contentera plus l'enfant et il lui en faudra une autre, plus complète. Vous pourrez lui dire qu'une minuscule cellule du corps de papa s'est unie à une cellule de votre corps et que c'est là le début du bébé.

« Pourquoi papa ne peut-il pas faire d'enfants ? »

Votre réponse sera la même que celle que vous lui répétez déjà depuis un bon moment : parce que les corps des hommes et des femmes — aussi bien que les corps des garçons et des filles — sont différents et ont été conçus pour être différents. Papa étant homme, il n'a pas dans son corps d'endroit pour qu'un bébé puisse y pousser.

« Pourquoi ne puis-je pas faire d'enfant ? »

Vous répondrez à votre fillette qu'elle pourra faire des enfants mais qu'il faut pour cela qu'elle soit assez grande pour pouvoir s'occuper d'un bébé, qu'il faut qu'elle se marie, qu'elle ait sa propre maison et que son mari puisse fournir toutes les choses dont les bébés et les enfants qui grandissent ont besoin. Si c'est à votre petit garçon que vous répondez, dites-lui qu'il sera père un jour — après s'être marié — mais que (comme vous le lui avez déjà dit) seuls les corps des femmes peuvent nourrir un bébé et lui donner naissance.

« Comment la cellule (ou semence) de papa est-elle entrée en toi ? »

Cette question ou une autre équivalente suit dans l'ordre logique. À un enfant de cinq ans vous pouvez dire qu'une partie du bébé à venir se trouve au commencement dans votre corps (une semence) et une autre partie dans le corps de papa (une deuxième semence). Ensuite, quand papa et maman se tiennent dans les bras et s'aiment, papa introduit son pénis dans le vagin de maman et les deux parties se rencontrent dans le corps de maman. □ Un enfant de sept à huit ans est capable de comprendre des explications plus complètes, exprimées sans détours, avec précision : le pénis de papa contient deux tubes, un pour le passage de l'urine et un autre pour le sperme. Le sperme contient les cellules qui entrent dans le vagin de maman et se mêlent à ses cellules. Une seule cellule de papa s'unit à une seule cellule de maman. Faites clairement comprendre à l'enfant qu'au moment où le sperme sort l'urine est automatiquement fermée et ne peut pas s'y mêler. □ Il est aussi temps de dire à votre enfant que l'acte par lequel on fait un enfant porte un nom spécial, que cela s'appelle rapport sexuel, et que cela se passe ces nuits-là où papa et maman se sentent très bien ensemble et très amoureux l'un de l'autre.

« Puis-je assister quand vous faites un bébé ? »

Vous lui direz qu'il ne peut pas assister parce que c'est un de ces moments où vous préférez être seuls (Voir « La pudeur — la sienne et celle des autres, » page 21). □ Il se peut que l'arrangement de votre maison permette à votre enfant d'entendre les bruits des rapports sexuels, qui peuvent l'intriguer et même l'effrayer. Il n'est pas rare qu'il arrive à vous poser des questions comme : « Papa, est-ce que tu tourmentais maman hier soir ? » Si cela arrive, expliquez au gosse que ce n'est pas ça du tout, que papa et maman ne faisaient que rire et qu'être heureux de se trouver ensemble, que les bruits qu'il a entendus étaient des bruits de joie. Vous pourriez ajouter pour le rassurer davantage : « D'ailleurs regarde maman. Elle est heureuse, elle n'est pas tourmentée ! »

« *Comment le bébé vient-il au monde ?* »

Vous pourrez répéter les détails de la conception du bébé, de sa croissance et de son développement dans la matrice. Après quoi vous pouvez dire qu'au moment où le bébé est prêt à venir au monde il se met à bouger pour sortir. Il sort à travers le passage spécial qui s'est élargi à mesure que le bébé grandissait. Ici vous pouvez parler du cordon ombilical qui a permis que l'enfant soit nourri tant qu'il se trouvait dans sa mère, jusqu'à sa naissance, et qui n'est plus nécessaire après cela. Si votre petit vous demande de voir par où sortira le bébé, dites-lui simplement que ce ne serait pas utile. Expliquez-lui clairement l'accouchement et faites-lui saisir que le passage par où l'enfant sortira n'est ni celui de l'urine ni celui des intestins, que c'est un passage spécial entre les deux.

« N'as-tu pas eu mal quand je suis né ? »

Répondez la vérité mais si votre accouchement a été extrêmement difficile n'en parlez pas. Dites que c'est vraiment un effort (appelé « travail ») que de mettre au monde un bébé — tant pour la mère que pour le bébé. Et parfois, si le bébé est particulièrement grand, que cela fait un peu mal — mais pas plus qu'une personne adulte ne peut supporter. Et de plus, on l'oublie immédiatement parce qu'on est très, très heureuse d'avoir un garçonnet ou une fillette qu'on a toujours désirés depuis qu'on était très, très jeune.

« Faut-il être marié pour faire un enfant ? »

Si c'est un bambin de trois ans qui pose la question, votre réponse peut être simplement « Non ». Si l'enfant n'est plus si petit il faut une explication plus complète : oui, on peut bien faire un enfant sans être marié, mais les lois du pays où nous vivons et la religion à laquelle nous croyons disent qu'il faut être marié.

« Pouvez-vous faire un enfant toutes les fois que vous êtes ensemble ? »

La réponse dépendra pour une part de votre religion. Si vous êtes catholique il vous faudra rendre clair que même s'il ne résulte pas d'enfant chaque fois que papa et maman partagent leur amour, la fin première du rapport est bien la naissance des enfants. Si vous appartenez à une autre religion, il se peut que vous préfériez dire que le rapport sexuel est une des manières de papa et de maman pour se témoigner leur amour, qu'il en résulte parfois un bébé mais que le plus souvent il n'en résulte pas. □ Il n'est pas sage de discuter le contrôle des naissances avec un enfant. Tout ce qu'il lui faut savoir est qu'on ne conçoit pas un enfant chaque fois qu'on fait l'amour.

« Pourquoi tante Amélie et l'oncle Robert ne peuvent-ils pas faire d'enfant ?»

Cette question peut survenir si votre enfant a surpris quelque conversation des adultes ou s'il s'est simplement demandé pourquoi son oncle et sa tante n'avaient pas d'enfants. Expliquez-lui que parfois — **très**, très rarement — des empêchements médicaux interdisent qu'on fasse des enfants. Pour écarter toute crainte que votre gosse pourrait nourrir au sujet de ses propres possibilités de devenir père (mère), répétez avec insistance que ces empêchements médicaux sont extrêmement rares et ajoutez que là où ils existent les couples qui souhaitent avoir un enfant peuvent l'adopter. (Pour mieux lui expliquer l'adoption, voir Chapitre XI.)

« Que signifie menstruation ?»

Quel que soit le mot que votre enfant emploiera — menstruation, règles, indisposition, etc. — il faut répondre à cette question. Pour les enfants de quatre à cinq ans la réponse est simple :

«Tu sais que le corps des fillettes change lorsqu'elles grandissent. Il leur pousse par exemple
des seins. Mais ce que tu ne sais pas c'est qu'il se
produit des changements aussi à l'intérieur du
corps et la menstruation est un de ces changements.» Si le petit a vu des traces de menstruation — chez vous ou chez une soeur aînée — il se
peut que vous ayez à lui fournir des explications
supplémentaires. Sinon attendez qu'il grandisse
encore. □ Pour un enfant plus âgé, une explication complète est essentielle. Qu'une jeune fille
se trouve soudain en pleine menstruation sans
savoir ce qui se passe exactement peut lui causer
un choc terrible, effrayant. Il faut donc que vous
l'y prépariez dès l'âge de huit à neuf ans et cela
même si elle n'a pas posé de questions. Expliquez-
le-lui en termes assez simples pour qu'elle puisse
comprendre. Vous pourriez dire : «Comme tu le
sais déjà, le corps d'une femme doit se préparer
pour le moment où elle se mariera et fera des
enfants. C'est pourquoi les cellules et les vais-
seaux sanguins, la «doublure» de la matrice — là
où les bébés sont gardés à l'abri en attendant
qu'ils viennent au monde — doivent être toujours
renouvelée. Le corps envoie à cette fin des
quantités de sang en excès pour permettre à la
matrice de se bâtir une nouvelle doublure. Mais
s'il n'y a pas de bébé dans la femme à ce moment-
là, la doublure n'est pas nécessaire et le corps
l'élimine pour en bâtir une nouvelle. C'est l'élimination de cette vieille doublure et de l'ancien sang

qui s'appelle la menstruation et cette élimination se fait par le vagin.» L'idée de perdre du sang risque d'effrayer une fillette. Il faut donc lui faire comprendre qu'il s'agit d'une perte de sang **saine**, tout à fait différente de celle qui accompagnerait une blessure. Ajoutez aussi: «Cela se passe environ une fois par mois et c'est une chose dont une femme devrait être fière. C'est la merveilleuse manière dont la nature s'assure que la matrice sera toujours prête si elle veut faire un enfant.» Indiquez-lui aussi le moment où elle devrait commencer ses menstruations, combien environ dure chaque période et quels sont les moyens sanitaires pour se protéger. □ Il est tout aussi important d'expliquer la menstruation à votre fils. Lui aussi doit savoir comment fonctionne le corps de la femme, quels changements y prennent place, etc., et encore une fois c'est à vous de lui fournir cet enseignement   ou encore mieux à son père.

CHAPITRE V

LA MORT

De même qu'il y a des parents qui préfèrent s'imaginer que leurs enfants ignorent que la naissance existe, il y en a qui préfèrent supposer que les enfants ne savent pas qu'il y a la mort. « Pourquoi Catherine penserait-elle à la mort ? » demandera une de ces mères. « Elle n'a jamais connu personne qui soit mort, mais absolument personne. »
□ Ces parents ne se rendent pas compte que les enfants, même les très petits enfants, découvrent la mort qu'ils le veuillent ou non. On en parle et on la montre à la télévision et dans les films, elle a sa place dans les contes de fées, elle joue un grand rôle dans l'éducation religieuse et elle revient souvent dans la Bible. Il arrive aussi que les adultes en parlent dans la conversation de tous les jours : il se peut qu'on discute en présence d'un enfant du suicide d'une actrice bien connue, de la mort d'un politicien célèbre, de la disparition d'un parent, des années plus tôt. C'est ainsi que

tous les enfants entendent parler de la mort et commencent, d'habitude vers les quatre ans, à se poser des questions. □ Pourtant, contrairement aux adultes, les enfants ne peuvent pas concevoir les aspects religieux ou philosophiques de la mort (la religion ne réconfortera pas plus que la philosophie un petit enfant près de qui la mort a frappé). C'est la partie matérielle de la mort qui éveille la curiosité des enfants et, à mesure que le sens en devient plus clair, les inquiète et les effraie. Des parents sages et avisés tenteront de soulager cette inquiétude et cette frayeur en répondant avec simplicité et franchise aux questions concernant la mort, en offrant à l'enfant un mélange d'honnêteté et d'amour qui l'aideront à accepter la mort comme une partie inéluctable de la vie. □ Les questions ci-dessous sont de celles que typiquement un enfant posera au sujet de la mort. Il n'existe pas de réponses miraculeuses à ces questions ; il n'y a que des modèles pour que les parents (ou d'autres adultes) s'en inspirent et les adaptent aux circonstances par l'amour qu'ils portent à leur enfants.

« *Que signifie être mort ?* »

Il est très tentant de répondre à cette question en disant que la mort ressemble au sommeil, mais mieux vaut résister à cette tentation. C'est que les enfants dorment toutes les nuits et si on leur dit que la mort et le sommeil sont similaires, il se peut qu'ils aient peur de dormir, que leur sommeil soit troublé de cauchemars, etc. Peut-être la meilleure réponse est : « Être mort c'est ne plus être vivant, ne plus rien sentir. » Ce qu'il faut ajouter à cette simple négation dépend en grande partie de l'incident qui a suscité la question. Si c'est par exemple un animal chéri qui est mort, il faut réconforter l'enfant en l'assurant que cet animal ne souffre pas, qu'il n'est pas malheureux. Les questions au sujet de la mort ne sont pas de celles qu'on puisse traiter légèrement. Si pourtant l'enfant a posé la question en passant, par simple curiosité, on peut lui répondre en passant. La réaction de l'enfant vous fera savoir si cette réponse est pour l'instant suffisante.

« *A-t-on mal quand on est mort ?* »

Il est très difficile pour un enfant de s'imaginer qu'on puisse ne rien sentir. C'est pourquoi il demande si la mort fait mal, même si on lui a déjà dit et peut-être souvent répété que la mort signifie ne rien sentir. La réponse à cette question est bien entendu la répétition de ce que vous lui avez déjà dit : que les morts ne ressentent ni douleur, ni souffrance, ni rien d'autre.

« *Une fois mort, quand est-on vivant de nouveau ?* »

Les enfants se cramponnent parfois à l'idée que la vie serait réversible, même deux ou trois ans après qu'on leur en eût parlé. Ils s'imaginent que de même que dans les jeux on fait le mort puis on revient à la vie, les vrais morts peuvent ressusciter. □ Si vous avez le sentiment que c'est là ce que s'imagine votre enfant, rappelez-lui avec douceur qu'une fois mort, un être ne revient jamais plus sur terre. Si le gosse parle d'une certaine personne (par exemple «Quand grand-maman sera-t-elle vivante de nouveau?»), vous pouvez ajouter que même si la mort est permanente, les personnes qui sont mortes vivent dans le souvenir de ceux qui les ont aimées.

« Faudra-t-il que je meure ? »

Lorsqu'un enfant commence à parler de sa propre mort c'est que, quand bien même il ne comprendrait pas la signification exacte de la mort, il en pressent assez pour être vaguement effrayé et anxieux. Rassurez-le en lui expliquant que même si tous doivent mourir un jour, la plupart des gens vivent jusqu'à être très, très vieux et qu'il est très, très jeune. Dites-lui — d'une voix ferme, sans hésitation — qu'il vivra pendant des années et des années, plus d'années qu'il ne peut concevoir, qu'il a devant lui toute une vie d'amusement et d'aventures. □ Il se peut que votre enfant comme beaucoup d'autres passe par une période où il ait besoin qu'on le rassure fréquemment. Faites-le — d'une manière qui rayonne la plus absolue, la suprême confiance.

« Toi et papa mourrez-vous aussi ? »

Cette question, de même que celle qu'il a posée au sujet de sa propre mort, prouve que l'enfant en sait déjà assez pour se sentir menacé, pour se faire du souci regardant son propre bien-être. Lorsqu'il demande si vous ou son père mourrez, ce qu'il veut savoir c'est qui s'occupera de lui s'il vous arrivait quelque chose, comment pourrait-il survivre sans parents? N'oubliez pas pendant que vous le rassurez que la pensée de votre mort est terrifiante pour lui, qu'il dépend entièrement de vous et qu'il le sait, qu'il a le sentiment qu'en vous perdant il se perdrait lui-même, pour toujours. □ En répondant à la question de votre mort, insistez encore une fois sur le fait que la plupart des gens ne meurent pas avant que leurs corps ne soient très vieux et fatigués. Dites-lui d'un ton qui apaise, où il n'y a pas d'inquiétude, que vous et son père êtes jeunes et forts, que vous espérez vivre encore des années et des années, pour le voir élever ses propres enfants.

« *Et si pourtant toi et papa mourrez?* »

Souvent un enfant n'est que passagèrement rassuré par la réponse ci-dessus. Au bout de quelques jours il demandera d'une voix tremblante : « Et si pourtant…? » Et il ne se contentera plus de savoir que vous êtes forts et bien portants. Ne tentez pas d'éluder. Ayez au contraire une réponse toute préparée, par exemple : « Grand-maman et grand-papa t'aiment beaucoup, chéri. Si quelque chose devait nous arriver à papa et à moi — et sois sûr que rien ne nous arrivera — mais s'il nous arrivait quand même quelque chose, grand-maman et grand-papa s'occuperaient de toi. » Pour renforcer cette affirmation, pousuivez : « Tante Alice et l'oncle Marcel pensent que tu es le garçon le plus gentil du monde. Tante Liliane et l'oncle Charles aussi. Il y a tant de gens qui t'aiment. Tu ne resteras jamais seul. »

« Que fait-on des gens qui meurent ? »

S'il lui est arrivé de perdre un oiseau, un poisson ou un autre animal, peut-être lui avez-vous conseillé de l'enterrer. Si tel est le cas, il vous sera plus facile de lui dire ce qu'on fait des gens après leur mort. Vous pouvez répondre simplement : « Tu te rappelles quand ton petit poisson est mort, chéri ? Nous l'avons mis dans une boîte et nous l'avons enterré. Eh bien, c'est ce qu'on fait aussi des gens qui meurent. On met leur corps dans une grande boîte solide et on l'enterre. » ☐ L'enfant qui a lui-même enterré un animal acceptera pour un moment cette réponse ou, comme la plupart des enfants qui ne savent rien des enterrements, il se peut qu'il poursuive immédiatement par la question : « Pourquoi le met-on dans une boîte ? » ou « Pourquoi dans la terre ? » etc. ☐ En répondant à ces questions n'oubliez pas de souligner encore et encore — que ce n'est pas la personne qui se trouve sous terre mais seulement **son corps** (sinon l'enfant risque de s'imaginer que les morts vivent sous terre ou — bien pire —

qu'ils y sont emprisonnés sans nourriture et sans air). Expliquez-lui que le sens de l'enterrement — et c'est une bonne occasion de lui faire connaître le mot «funérailles» — est de permettre à ceux qui aimaient le disparu de se le rappeler toujours. Vous pouvez dire par exemple : «Lorsque papa va à l'endroit où son papa à lui est enterré, cela lui rappelle toutes les joies qu'il a eues quand il était enfant.» □ Votre religion aussi vous aidera à répondre aux questions de votre enfant, à lui faire comprendre petit à petit que la personne qui est morte est partie dans une autre existence, que les funérailles, les tombes, les fleurs ne sont que les moyens grâce auxquels les vivants expriment leur respect et leur amour pour les morts.

«Que devient le corps dans la terre?»

Il se peut que cette question le trouble soit parce qu'il aura entendu raconter des énormités par d'autres enfants, soit à cause de sa propre imagination. Il se peut qu'il s'inquiète à cause «des vers qui mangeront grand-maman» ou «de la pluie qui va la mouiller.» □ Tâchez de mettre fin à ces fantaisies macabres en lui expliquant que les cercueils sont très solides et qu'ils protègent le corps des intempéries, des vers, etc. Si cette réponse le tranquillise laissez tomber. Sinon, s'il insiste : «Mais que devient donc le corps? Le corps reste-t-il pareil?» dites-lui avec douceur que le corps se transforme en poussière avec le temps.

« Quand grand-papa mourra-t-il ? »

Ce genre de question indique que l'enfant a saisi que les personnes âgées meurent avant les plus jeunes. Cette question peut être dictée par la sollicitude pour la personne ou par une simple curiosité mais quelle qu'en soit la cause répondez dans ce ton : « Il est vrai que grand-papa est vieux, chéri, mais il y a des tas de gens qui vivent jusqu'à un grand âge et nous espérons que grand-papa restera avec nous encore de nombreuses années. »

« Puis-je aller à l'enterrement avec toi ? »

Si l'enfant est trop petit pour pouvoir se tenir tranquille tout au long des funérailles, il faut lui répondre avec douceur mais fermement « Non ». Et même s'il est assez grand, pensez-y à deux fois avant de prendre une décision. La participation aux funérailles permettra à l'enfant de mieux s'intégrer dans la douleur de la famille. Il ne se sentira donc pas exclu et de plus il verra qu'on peut exprimer sa douleur sans honte ni embarras. Considérez d'autre part qu'un chagrin sans limites ou une douleur non maîtrisée risquent de bouleverser un enfant, qu'il vaut peut-être mieux le laisser à la maison, vous réservant de le conduire au cimetière ultérieurement afin qu'il participe à votre tristesse et qu'il exprime la sienne.

CHAPITRE VI

SCÈNES DE MÉNAGE

Même dans les maisons où l'amour règne en maître il arrivera que les enfants soient témoins d'éclats entre les parents, car les parents ne sont que des êtres humains, parfois impatients ou irascibles, d'autres fois littéralement à bout. Ce qui importe pour un enfant n'est pourtant pas le fait que ses parents se chamaillent de temps à autre, mais pourquoi ils se chamaillent et comment ils discutent. Leurs disputes sont-elles le reflet d'un antagonisme profond, d'un vrai conflit, ou sont-elles des flambées habituelles (quoique parfois excessives). □ Toute dispute entre les parents inquiète l'enfant. Si pourtant le père et la mère oublient et pardonnent vite, le petit commencera à apprendre qu'il est permis de se mettre en colère, que les querelles sont une partie inévitable de la vie et de l'amour. Ce n'est qu'au moment où les parents s'opposent fondamentalement l'un à l'autre que leurs disputes plongent l'enfant dans une anxiété intense, surtout si, comme c'est souvent le cas, il était le noeud de la discorde. Il va sans dire que les voies de fait entre parents ont un effet désastreux sur l'enfant, mais certaines paroles n'en ont pas moins — par exemple des menaces comme : « J'en ai marre ! Ça me suffit ! Je fous le camp ! » La plus grande peur d'un enfant c'est la peur de se voir abandonner. C'est pourquoi il passe par de vrais moments de terreur lorsque ses parents parlent de quitter la maison, de divorcer, etc. □ Les questions et les réponses contenues dans ce chapitre s'appliquent surtout aux disputes quotidiennes qu'on rencontre dans tous les ménages. Elles peuvent cependant s'adapter aussi aux parents entre qui le conflit est profond, même à ceux qui envisagent de se séparer. N'oubliez pas : c'est déjà terrible pour un enfant de savoir que ses parents ne s'entendent pas. Il est inutile de lui infliger de surcroît le fardeau et les blessures affectives que lui causerait le fait de sentir près de lui la haine et le désespoir.

« Papa est-il furieux contre moi aussi ? »

Il arrive qu'après une scène de ménage les enfants s'imaginent qu'un des parents ou même les deux sont furieux contre **eux** ; que ce sont **eux** qui en quelque sorte portent la responsabilité de la dispute. Il est d'autre part vrai que souvent la mère ou le père avivent ce sentiment en déversant leur irritation sur leur petit ou, bien pire, en prenant pour prétexte une peccadille qu'il aura faite, pour le lancer dans le combat. ☐ Dans la mesure du possible empêchez votre enfant d'assister à des disputes trop sérieuses. Mais il est encore plus important qu'aucun de vous d'eux n'emploie le comportement du petit comme arme contre l'autre. Il y a peu de choses plus bouleversantes pour un enfant qu'une dispute à **son** sujet entre les parents. C'est pourquoi au moment où vous et votre mari êtes en désaccord sur la manière d'élever votre enfant, il faudrait que vous échangiez des idées et des convictions plutôt que des accusations et des critiques et de toute façon mieux vaudrait débattre le problème seuls et tranquillement. ☐ Et pourtant il arrivera au couple le plus uni de se chamailler devant leur bambin. Que faut-il dire à l'enfant après une de ces disputes ? Comment lui faire comprendre que vous et son père n'êtes pas vraiment fâchés l'un contre l'autre ? D'abord lui dire en passant que «Tout le monde se querelle de temps à autre et alors… Une fois qu'on est en colère contre une personne, on agit parfois comme si on était en colère contre tout le monde. » Rattachez si vous le pouvez cette affirmation à quelque incident de la vie du petit — par exemple au jour où il était furieux contre son frère, en lui disant, mettons : «Tu te rappelles, chéri, que tu as frappé du pied tes soldats. Tu n'étais pas furieux contre les soldats et pourtant comme ils étaient là c'est sur eux que tu as déversé ce que tu ressentais. Eh bien, c'est comme ça que nous faisons parfois, papa et moi. Nous pouvons avoir l'air d'être en colère contre toi, mais nous ne le sommes pas. » □ Ajoutez de la crédibilité à vos paroles en embrassant le petit et surtout en vous réconciliant au plus vite avec votre mari. Faites comprendre à votre enfant que la colère, même la plus violente des colères, n'est pas la fin du monde.

« Est-ce que tu hais papa quand tu hurles comme ça contre lui ? »

Il n'est pas suffisant de répondre avec un sourire : « J'aime ton père et tu le sais. » Car il est clair que le bambin ne le sait pas sans quoi cette question ne lui passerait pas par l'esprit. □ Une des choses les plus difficiles à comprendre pour l'enfant c'est que la colère ne contredit en rien l'amour que deux êtres peuvent avoir l'un pour l'autre. C'est pour cela qu'il faut lui faire saisir, surtout s'il est encore très petit, que la colère est une chose **naturelle** et acceptable. Aidez-le à s'y faire par des comparaisons de ce genre : « Tu aimes maman, non ? Mais parfois tu te mets en colère contre moi, n'est-ce pas ? Et tu ne cesses pas de m'aimer parce que tu t'es mis en colère, non ? » □ Ces comparaisons sont excellentes parce qu'elles permettent aux petits de comprendre plus facilement les sentiments des parents et d'autre part les soulagent du trouble qu'ils ressentent lorsqu'ils se mettent à leur tour en colère. □ **Note :** Si par contre vos querelles avec votre mari sont chargées de haine, vous ne parviendrez pas à abuser l'enfant par des réponses de ce genre. Mieux vaut dire : « Papa et moi nous passons par un mauvais moment, mais nous nous efforçons d'y mettre fin, » et en vérité faites l'effort d'y mettre fin. Collaborez avec votre mari pour résoudre vos conflits et si c'est nécessaire faites appel à un professionnel.

CHAPITRE VII

LE DIVORCE

Le divorce est une expérience catastrophique pour tous ceux qui y sont mêlés et il n'est pas facile de dire à un enfant que ses parents ne s'aiment plus et qu'une des personnes qu'il aime et dont il dépend ne vivra plus avec lui. Mais aussi dure que soit la vérité il y a des moyens d'adoucir le coup, d'atténuer la douleur que le petit ressentira. Vous ne pourrez pas lui épargner le crève-coeur d'avoir perdu la vie de famille qu'il avait connue, mais vous **pouvez** lui épargner votre propre douleur ou amertume, vous **pouvez** l'aider à croire qu'il ne perdra l'amour d'aucun de ses parents, vous **pouvez** l'aider à regarder dans l'avenir. C'est simple ! Vous et votre mari n'avez pas su faire une réussite de votre mariage, mais en vous y mettant à deux, avec patience et compréhension, vous pourrez faire un succès de votre divorce. □ Une fois que vous vous êtes décidés définitivement au divorce, vous devriez y préparer votre enfant. La nouvelle sera peut-être plus facile à avaler si vous et votre mari lui en faites part ensemble. Si pourtant vous ne le pouvez pas (si vos sentiments sont encore trop vifs), arrangez-vous pour lui parler à tour de rôle, chacun l'assurant de son amour. Considérez aussi lorsque vous entreprendrez cette première explication que les choses que vous dites et **la manière dont vous les dites** peuvent exercer une grande influence sur l'avenir de votre enfant. Si vous lui expliquez par exemple que la séparation est la meilleure solution pour tous, l'enfant pourra au moins l'envisager, il pourra admettre qu'il a été conscient de la tension qu'il y avait dans la maison et qu'elle l'a parfois effrayé. □ Nous donnons ci-dessous quelques-unes des questions que les enfants posent le plus normalement au sujet du divorce. Les réponses sont du genre que vous et votre mari devriez adopter — des réponses véridiques qui aideront votre petit à accepter le divorce avec le moins de chagrin possible.

« Mais pourquoi devez-vous divorcer ? »

La réponse dépend en partie de l'âge du bambin et des circonstances du divorce. Souvenez-vous cependant qu'il ne faut pas troubler l'enfant en lui parlant de sentiments complexes qu'il ne saurait comprendre et qu'il ne faut pas non plus lui dire que la responsabilité du divorce incombe à un seul des parents. Une réponse comme «Tout ceci est de la faute de ton père, » ne ferait que désappointer l'enfant et, ce qui est pire, lui donnerait le sentiment d'avoir à se dresser contre son père. Jusqu'à ce que l'enfant soit assez grand pour comprendre que ses parents ne sont que des êtres humains - avec des problèmes très humains — il faudrait lui fournir une explication très simple du divorce, du genre qui ne jetterait le blâme sur aucun de ses parents, par exemple : « Papa et moi ne nous aimons plus, chéri. C'est pour cela que nous divorçons. Nous sommes malheureux d'être mariés et c'est pour ça que nous allons mettre fin à notre mariage et que nous vivrons dans des maisons séparées. » □ Il est aussi utile d'insister sur le fait qu'aucun de vous deux n'est coupable, pour empêcher l'enfant de s'imaginer que ce serait **lui** le coupable. Les enfants n'expriment presque jamais ouvertement cette crainte mais dans leur subconscient la plupart des enfants de parents divorcés se sentent responsables. Il se peut que le vôtre se demande si ce ne sont pas les occasions où il n'a pas été sage qui auraient contribué ou qui auraient même déterminé le divorce. S'il arrive que cette crainte s'intensifie et si elle s'ajoute au chagrin du petit, elle risque d'être réellement destructive pour lui. Il faut donc, pour réduire la souffrance de votre enfant au minimum, que vous et son père résistiez à la tentation de vous blâmer et de vous dénigrer l'un l'autre. Pour l'amour de votre enfant faites l'effort de parler l'un de l'autre avec respect et douceur.

« *Mais* **pourquoi** *ne vous aimez-vous plus* ? »

Essayez si vous le pouvez de rattacher la réponse de cette question à quelque événement de la propre vie de l'enfant. Par exemple : «Te rappelles-tu chéri le temps où toi et le petit Armand du coin étiez de si grands amis? Vous jouiez tous les jours ensemble et vous preniez votre déjeuner l'un chez l'autre. Et puis Armand a commencé à aller à l'école et vous ne vous êtes plus amusés ensemble. Eh bien, c'est quelque chose de ce genre qui nous est arrivé à papa et à moi. Nous t'aimons toujours mais nous ne nous amusons plus ensemble. Nous ne nous entendons plus et nous savons que nous serons plus heureux si nous nous séparons. »

« *Ne vous aimerez-vous jamais plus ?* »

Pour vous-même mais aussi pour l'enfant soyez douce et pourtant ferme lorsque vous répondrez à des questions de ce genre. Dites au petit : «Nous ne nous aimerons jamais plus de l'amour qu'un mari et une femme ont l'un pour l'autre. Nous avons longtemps hésité avant de nous décider à divorcer et nous savons que c'est le mieux comme ça, pour nous tous. » □ Il est important de faire comprendre à votre enfant qu'il n'y a pas la moindre chance de réconciliation, sans quoi un espoir fantaisiste l'empêchera de s'adapter aussi vite que possible à la réalité. □ Ce genre de questions risquent aussi de faire rebondir les sentiments de culpabilité que vous pourriez avoir au sujet de l'échec de votre mariage, auquel cas en sentant cette culpabilité (avec la sensibilité des enfants) votre petit pourrait s'imaginer que c'est vous qui êtes coupable du divorce, que c'est par votre faute que son papa chéri a dû partir.

« Papa ne m'aime-t-il plus ? »

Cette question viendra le plus vraisemblablement peu de temps après que le père aura quitté la maison. Il est possible que votre enfant ait peu réagi quand vous lui avez annoncé le divorce ou qu'il n'ait pas réagi du tout — comme beaucoup d'autres enfants — et qu'il **sente** à peine maintenant la signification de ce mot. Son père est parti et il se sent mal aimé, abandonné et malheureux. Qu'ils l'expriment par des paroles ou par leurs attitudes, tous les enfants de parents divorcés souffrent intensément de la perte quotidienne de leur père et il faut leur répéter encore et encore « Papa t'aime comme il t'a toujours aimé. » Faites aussi vite que possible le nécessaire pour que le vôtre puisse le voir et encouragez votre mari à revenir pour vous rendre visite, surtout au début car vous avez beau dire au petit que son père l'aime toujours ; il lui faut des preuves tangibles de cette affirmation.

« Papa et toi pouvez-vous divorcer de moi ? »

L'enfant considère l'union de ses parents comme indestructible et indivisible jusqu'au jour

où le divorce effondre son univers. C'est pourquoi, lorsqu'il reçoit le plein choc du divorce, il
met en question ses propres rapports avec ses
parents. Ne cesseront-ils pas de l'aimer de même
qu'ils ne s'aiment plus l'un l'autre ? Ne se sépare-
ront-ils pas de lui, ne l'abandonneront-ils pas, en
bref ne divorceront-ils pas de lui aussi ? □ Il se
peut que votre enfant n'exprime pas clairement
cette question, mais qu'il la pose ou non vous
devez y répondre. Faites-lui bien comprendre que
seuls les adultes divorcent l'un de l'autre, que les
parents ne cessent jamais d'aimer leurs enfants,
même s'ils se fâchent ou s'impatientent parfois
contre eux. □ Profitez de toute occasion pour
encourager votre bambin à parler tout haut de
ses doutes, de ses chagrins et de ses ressentiments.
Il se soulagera ainsi de sa douleur et du trouble
qui pèse sur lui et en même temps vous permettra
de l'aider à s'adapter à la décision qui a si profondément bouleversé son existence.

« *Pourquoi ne viens-tu pas à la plage avec papa et
moi ?* »

Pendant les premières semaines ou même
pendant des mois après que la séparation sera
devenue une réalité, l'enfant pourra essayer de
convaincre sa mère de participer à ses sorties avec
son père. C'est qu'il se cramponne encore à
l'espoir que ses parents se réconcilieront, parce
qu'il s'imagine qu'il lui suffirait de les remettre
une fois ensemble pour que leurs différents s'éva-
nouissent comme par magie et que tout soit bien

de nouveau. Il vaut donc mieux, pour cette raison et aussi pour d'autres, que votre enfant passe presque tout le temps des visites seul avec son père surtout au début quand chacun des deux a de la difficulté à dépasser l'embarras des premiers moments de ces rencontres. Si vous êtes là aussi et si la visite tourne bien, vous encouragerez votre enfant à continuer d'espérer. Si au contraire la visite est glacée par votre présence (ou encore pire si de vieux ressentiments et de vieilles blessures se réveillent pour aboutir à une dispute), votre enfant souffrira de nouveau et peut-être même vous en voudra d'avoir gâté le temps qu'il a passé avec son père. □ Ne prenez pas pour prétexte de ne pas vous trouver avec lui et avec son père le fait que vous seriez occupée ou que vous vous seriez fait un autre programme. Au contraire, rappelez-lui avec douceur : « Papa et moi ne voulons plus nous voir si souvent, chéri. C'est justement pour cela que nous ne sommes plus mariés. » □ Il y a pourtant des occasions — son anniversaire, Noël, etc. — où vous devriez lui permettre d'être heureux avec vous deux. Lors de ces rencontres vous et votre mari devriez faire tout votre possible pour maîtriser et dissimuler toute hostilité qui subsisterait encore entre vous. Il ne faut pas vous dire des choses désagréables sur le passé ni surtout risquer une querelle en discutant le présent et le futur de l'enfant. Ce sont des moments où il ne faut penser qu'au bonheur et à la sécurité du petit.

« *Si papa m'aime, pourquoi ne vient-il pas me voir ?* »

Si votre ancien mari ne passe que peu de temps avec votre enfant ou s'il a effectivement abandonné sa famille, la douleur infligée au petit sera profonde et très durable. Il se sentira rejeté, humilié, furieux et surtout amèrement déçu. □ Vous devrez comme toute mère réconforter votre enfant pour alléger sa peine. Mais avant d'être en mesure d'alléger cette peine (car vous ne pourrez pas faire plus que l'alléger), il faudra que vous luttiez contre votre propre colère et contre votre propre désappointement. Il ne faut pas céder à la tentation de répondre des choses du genre : « Ton père ne vaut pas la peine que tu pleures, chéri. Le seul être au monde qu'il ait jamais aimé c'est lui-même. » Car même si c'est la vérité, le gosse ne sera pas plus heureux de le savoir. Il n'en ressentira que plus de honte et de chagrin d'avoir un père qui se soucie si peu de lui. □ Peut-être que la meilleure manière de consoler votre enfant est de lui dire : « Papa ne veut pas te faire souffrir. Tu sais, papa est lui-même très malheureux et il ne se rend pas compte que tu as tellement besoin de lui. Ces paroles ne mettront certainement pas fin au chagrin de votre petit et il ne ressentira pas moins l'absence de son père pour autant. Mais si vous le répétez assez souvent il pourra arriver à croire qu'il n'y a pas de négligence, que l'absence de son père n'est pas voulue, que parfois les gens très malheureux ou très troublés blessent pas inadvertence les êtres qu'ils aiment.

CHAPITRE VIII

IL EST MALADE

Il y a certaines choses importantes qu'il ne faut jamais oublier au moment où un enfant est malade au lit, où il se rend chez le docteur, où le docteur vient à la maison, où il va chez le dentiste, où il entre dans une clinique. Si vous retenez bien ces choses et si vous en tenez compte dans votre comportement, vous pourrez changer du tout au tout celui de votre enfant et aussi assurer votre propre tranquillité. □ Rappelez-vous d'abord que vos propres sentiments à l'égard du médecin, du dentiste ou des autres personnes du corps médical avec qui vous et votre enfant aurez affaire se communiqueront instantanément à l'enfant. Si la visite chez le médecin est pour vous une horreur, elle le sera pour lui aussi. Si au contraire vous la considérez comme une corvée nécessaire mais en aucun cas comme un supplice, il la considérera de la même façon. Il faudrait donc que vous regardiez (et que donc votre enfant regarde) votre docteur de famille comme un ami et en même temps comme une autorité respectée, comme celui qui soulagera les douleurs, qui chassera les maladies, etc. □ Il faut ensuite garder votre sens des proportions au moment où le petit tombe malade. Il ne faut certainement pas négliger un rhume mais il ne faut pas non plus le traiter comme une tragédie. La rougeole, la varicelle, les petites coupures, les éraflures et les brûlures (même la fracture d'une jambe ou d'un bras) font partie des accidents de l'enfance. Il faut bien sûr vous en occuper immédiatement, mais il ne faut ni sangloter ni céder à des crises d'hystérie. C'est clair : si vous réagissez avec tranquillité aux maladies et aux blessures de votre enfant, il réagira de même. Si vous êtes au contraire exagérément inquiète, inutilement préoccupée ou nerveuse, il sera effrayé et anxieux pareillement. □ En troisième lieu, sachez que les enfants sont capables de saisir des informations beaucoup plus compliquées que les adultes ne se l'imaginent. Des sujets difficiles comme la carie dentaire, les bactéries et la contagion ou le fait qu'une blessure saigne sont parfaitement à la portée d'un enfant si vous les lui décrivez à son niveau, sous une forme simplifiée. Ne craignez pas que vos réponses ne l'incitent à poser de nouvelles questions toujours plus complexes. Cela ne se passe pas d'habitude. Si vous dites au gosse que le plâtre immobilise l'os fracturé pour qu'il puisse se refaire sans risquer d'être délogé par accident, il y a peu de chances qu'il vous demande de lui tenir un cours sur le squelette. □ Enfin, ne trompez pas votre enfant au sujet de la douleur et des traitements. Mieux vaut lui dire : « Tu auras mal, mais rien que pour une minute, » que le tromper par : « Ça ne fait pas mal du tout. » Votre enfant vous fait confiance et au moment où il est malade ou blessé cette confiance contribue beaucoup à sa guérison, parce qu'elle apaise ses craintes. Soutenez sa confiance en étant honnête envers lui.

« Pourquoi suis-je malade ? »

Rendez-vous compte avant de répondre à cette question qu'elle a un autre sens pour lui qu'elle n'aurait pour vous. Dans votre esprit elle devrait signifier : « Explique-moi la nature de ma maladie. » Pour lui c'est plus vraisemblablement : « Qu'ai-je fait pour la mériter ? » □ Les enfants craignent souvent que la maladie ne soit une punition parce qu'ils n'ont pas été sages. Il faut affirmer au vôtre que les maladies occasionnelles ne sont qu'une partie de l'existence. Dites-lui par exemple : « Chéri, nous tombons tous malades de temps à autre. J'ai été malade plusieurs fois, ton père a été malade, tout le monde peut être malade. C'est une chose qui se passe. »

« Est-ce que ça fera mal ? »... « Est-ce que ça a mauvais goût ? »

Pour les enfants la médication d'une maladie ou d'une blessure paraît souvent plus affreuse que le mal même. S'il faut que votre enfant subisse un

traitement ou une opération qui entraînera forcément des douleurs, dites-le-lui franchement
(sinon il risque de ne jamais plus vous croire à
l'avenir). Ne lui laissez d'autre part pas croire que
ces ennuis seront éternels. « Oui, ça te brûlera
pendant environ cinq minutes. Tu es assez cou-
rageux pour supporter cela, non ? » Tâchez de lui
faire comprendre que la douleur est peu importante en regard du bien que le traitement lui fera et
incitez-le à se tourner vers le futur : « Ce médicament n'a pas un goût très fameux mais plus tu
l'avaleras vite mieux tu en seras débarrassé, en
même temps qu'il te guérira. »

« Vais-je mourir ? »

Ne soyez pas horrifiée s'il vous lance cette
question. Si dans sa courte existence il a eu affaire
à la mort d'un membre de la famille ou d'une
connaissance, il aura remarqué que la maladie
précède souvent la mort. Ne vous contentez pas
de sourire en disant « Non ». Expliquez-lui que sa
maladie est tout à fait différente de celle qu'a eue
un tel et que de toute façon « Les gens ne meurent
pas d'habitude avant d'être très, très vieux,
beaucoup plus vieux que toi. » Vous pourrez
ajouter — si c'est vrai — que vous ou votre mari
avez eu la même maladie.

« Que va me faire le docteur (ou le dentiste) ? »

Il faut répondre le plus tranquillement et le
plus complètement que vous pourrez. Rendez

également le projet aussi intéressant que possible. Parlez au petit des merveilleux instruments que le médecin ou le dentiste emploiera et dites-lui à quoi ils servent. S'il s'agit d'un simple examen de contrôle dites-lui : « Le docteur va regarder et écouter ce qui se passe à l'intérieur de ton corps pour être sûr que tout va bien. Il a même le moyen d'écouter les battements de ton coeur et si tu es sage peut-être te permettra-t-il de les écouter aussi. » Ou si l'enfant sait bien qu'il y a quelque chose qui ne va pas : « Le dentiste regardera pour voir quelle est la dent qui te fait mal et ensuite il enlèvera la douleur. » Ou bien, s'il s'agit d'un médicament préventif : « Le docteur va te donner un médicament spécial pour t'empêcher d'attraper la grippe. »

« Pourquoi faut-il que j'aille dans une clinique ? »

Que l'hospitalisation soit nécessaire pour une opération ou parce que la maladie du petit est grave, la réponse sera la même : le docteur le veut à la clinique parce qu'il a là-bas des choses qu'il ne peut pas apporter à la maison et qu'il lui faut pour le guérir. □ Faites-lui bien comprendre que les cliniques ne servent qu'à guérir les gens. Elles sont par exemple incroyablement propres, bien plus propres qu'une maison ne pourrait l'être » — d'une manière particulière, pour éliminer les microbes. Et il s'y trouve des personnes, des médecins et des infirmières qui savent exactement ce qu'il faut faire pour que les gens se sentent bien et pour qu'ils guérissent vite. □ S'il s'agit d'une opération ne laissez pas le traitement préopératoire et le traitement postopératoire surprendre le petit en choc. Dites-lui ce qu'on va enlever (ou ce qu'on va réparer). Informez-vous sur les soins préparatoires et dites-le au petit pour qu'il sache à quoi s'attendre. Rassurez-le aussi au sujet de l'opération : «Cela te ferait mal si tu étais réveillé mais le docteur le sait et donc te donnera quelque chose qui te fera dormir un moment.» Ne lui dites pas : «Le docteur va t'opérer pendant que tu dors,» sans autre explication, car il risquerait de s'imaginer qu'on le prendra par surprise au milieu de la nuit. Si on s'attend à des douleurs postopératoires dites-le-lui : «Quand tu te réveilleras tu auras un peu mal à la gorge, pas très fort, un tout petit peu. Et la douleur ira en décroissant, si bien qu'au bout d'un jour ou deux tu n'auras plus mal du tout. Et tu ne seras plus tout le temps enrhumé comme tu l'étais, ni n'auras à garder le lit si souvent.» □ Faites-lui bien comprendre que vous ne l'abandonnez pas, surtout s'il dort pour la première fois hors de la maison. Restez près de lui tant que vous pourrez et essayez de lui assurer l'amitié d'une infirmière ou de la personne qui aura à s'occuper de lui après votre départ. Dites-lui exactement à quel moment vous reviendrez et faites l'impossible pour être là à l'heure promise.

« Pourquoi ne puis-je pas jouer avec mon frère ? »

S'il souffre d'une maladie contagieuse et

qu'on garde les autres enfants à distance, il pourra avoir le sentiment que ses amis l'ont abandonné si on ne lui explique pas leur absence. Parlez-lui un peu des microbes et dites-lui com-; ment les enfants attrapent la maladie l'un de l'autre : « S'ils venaient jouer avec toi ils risqueraient de tomber aussi malade. » N'oubliez pas de lui dire que ses amis « sont très tristes que tu soies malade. Ils veulent que tu guérisses vite pour pouvoir jouer avec eux. »

CHAPITRE IX

UN AUTRE EST MALADE

La maladie d'un membre de la famille bouleverse toujours le rythme de la vie d'un enfant et cela qu'elle soit grave ou légère. Les réactions de l'enfant varieront selon la personne qui est malade et selon la nature et la durée de la maladie. Il se peut qu'il soit content, parce que papa ne va pas au bureau mais reste à la maison. Il se peut qu'il soit contrarié, parce qu'on s'occupe moins de lui que de son frère souffrant. Il se peut qu'il soit troublé, soucieux et même terrifié. ☐ La manière dont il réagit à la maladie des autres membres de la famille dépendra en grande partie de vous ; si vous le faites participer à ce qui se passe ; si vous répondez de votre mieux à ses questions ; si vous trouvez le temps (ne fût-ce que quelques minutes par jour) de vous occuper de lui et de ses sentiments. ☐ Au moment où la maladie entre dans votre maison votre première pensée va tout naturellement vers la personne malade. Mais n'oubliez pas que plus une maladie est sérieuse,

plus votre enfant aura besoin d'aide. Vous ne
pouvez pas cacher à un enfant une maladie grave
dans la famille, mais vous **pouvez** l'aider à
exprimer scs craintes et à comprendre pourquoi
le monde est soudain sens dessus dessous. □ Les
questions qui suivent sont celles que les enfants
posent typiquement lorsqu'il y a quelqu'un de
malade à la maison. Les réponses sont formulées
plus particulièrement pour la maladie du père
mais elles pourront facilement s'adapter à la
maladie de n'importe quel membre de la famille.

*« Y a-t-il quelque chose qui ne va pas pour
papa ? »*

Si votre mari est à la maison au lit, votre
enfant sait clairement qu'il est malade. Le vrai
sens de la question est donc : « Papa est-il très
malade ? Ce qui ne va pas, est-ce très mal ? » Si la
maladie de votre mari est légère, vous pouvez
donner une réponse simple qui le rassure, par
exemple : « Papa a ce qu'on appelle la grippe,
chéri. C'est un peu comme un mauvais rhume
mais le docteur lui a donné des médicaments et
papa sera de nouveau bien d'ici trois ou quatre
jours. » □ Si pourtant la maladie de votre mari est
plus sérieuse ou plus compliquée, préparez le
petit pour l'éventualité d'un rétablissement plus
lent, sans pour autant renoncer à la simplicité de
votre réponse — par exemple : « Le docteur dit
que papa est très fatigué, chéri, et qu'il lui faut
beaucoup de sommeil et beaucoup de repos. Ne

74

t'en fais pas, papa sera de nouveau tout à fait bien, mais ça prendra un moment. »

« *Pourquoi papa ne joue-t-il pas avec moi ?* »

La maladie d'une personne adulte n'est souvent pas évidente pour un enfant. Son père a l'air tout à fait bien, alors le gosse se sent négligé, meurtri par ce qu'il considère comme un signe d'indifférence de la part de son père. □ Il faut lui faire comprendre que si papa ne joue pas c'est qu'il ne se sent pas bien et non qu'il ne voudrait pas jouer ou qu'il n'aimerait plus son petit.

« *Pourquoi papa ne sourit-il plus ?* »

Comme la question précédente celle-ci n'est qu'une façon détournée de demander si son père ne l'aime plus ou si lui, l'enfant, a fait quelque chose qui a fâché son père. Cette fois encore il faut le rassurer au sujet de l'affection de son père et en même temps lui dire que « les personnes malades sont parfois tristes ou de mauvaise humeur. Papa n'est pas fâché contre toi, mais il n'a plus la patience de rester au lit. » □ Lorsqu'une maladie dure plus de deux ou trois jours, l'enfant souffre très fort de l'absence de son père. Vous pouvez l'aider à se sentir plus proche de son père malade en l'incitant à « égayer papa », en dessinant une image, en coupant des fleurs dans le jardin, etc. L'enfant se sent moins seul s'il fait quelque chose pour son père. Il a le sentiment de l'aider à se rétablir.

« Pourquoi faut-il que papa aille en clinique ? »

Répondez exactement comme vous le feriez s'il fallait que l'enfant aille lui-même en clinique (voir page 70). Expliquez de votre mieux le traitement qu'on emploiera, par exemple : « Papa a mal à l'estomac, chéri. Le docteur va l'opérer et le guérir, » ou « Le docteur va prendre des photos — qu'on appelle des radiographies — de tout le corps de papa. Ensuite il saura pourquoi papa ne se sent pas bien et il pourra le guérir. » À moins que le docteur ne vous ait averti que l'état de votre mari est critique, rassurez le petit en lui disant que son père n'est pas en danger et qu'il rentrera très vite.

« Pourquoi ne puis-je pas aller voir papa à la clinique ? »

Certaines cliniques (peu nombreuses) admettent aussi les visiteurs d'un âge inférieur à douze ans. Et pourtant, même si votre mari se trouve dans une de ces cliniques-là, pensez-y à deux fois avant d'y conduire votre enfant, surtout s'il est encore très petit. La vue de son père pâle, faible et apparemment sans défense risque d'inquiéter le gosse au lieu de le soulager et cela même si le père est en bonne voie de guérison. Il y a aussi l'atmosphère même de la clinique qui risque de troubler le petit (il se peut qu'il aperçoive des gens qui pleurent, des gens qui ont mal, etc.) □ Lorsque vous vous demandez si vous permettrez à votre petit d'aller dans une clinique, rappelez-vous que ce qu'il veut c'est voir de ses propres yeux que son père va bien. Vous pourriez donc satisfaire ce désir et en même temps lui épargner une épreuve peut-être trop dure en le faisant parler chaque jour au téléphone à son père ou en demandant à celui-ci (s'il le peut) de lui écrire un mot tous les jours.

« Quand papa ira-t-il mieux ? »

La réponse dépend bien entendu de la maladie de votre mari. Il n'est que naturel de vouloir dire au petit que « Papa ira mieux, bientôt, » mais si ce n'est pas vrai ne le dites pas. Autant que vous vouliez défendre votre enfant des inquiétudes et de la crainte, il faut lui dire la vérité si la maladie de son père est grave ou si les pronostics sont incertains, par exemple : « Papa est très, très malade, chéri. Tout le monde, tous les médecins et toutes les infirmières font leur possible pour lui, mais on ne sait pas encore ce qui arrivera. » Des nouvelles de ce genre sont bien sûr excessivement douloureuses pour un enfant, mais s'il connaît la vérité (qu'il sentirait même si vous ne la lui disiez pas) il pourra mieux affronter un futur incertain.

« Papa va-t-il mourir ? »

Un enfant peut poser cette question même si son père est légèrement malade, surtout si aucun de ses deux parents n'a jamais été malade auparavant. Si la maladie de votre mari n'est pas sérieuse, rassurez le gosse complètement et tout de suite. Rappelez-lui les choses que vous lui avez dites lorsqu'il vous a demandé pour la première fois si vous et son père alliez mourir (voir page 48). Ajoutez ensuite, en l'embrassant gaiement, qu'il arrive à tout le monde de tomber malade et qu'il n'a pas à se faire des soucis stupides. □ Si la maladie de votre mari est grave, il sera bien plus difficile pour vous de répondre ; et même de supporter la question. Et pourtant vous devez être honnête envers votre petit et lui répondre, non pas en le rassurant par des mensonges, mais en lui disant la vérité, si douloureuse soit-elle. Pourquoi ? Parce qu'il se pourrait que votre mari meure et alors l'enfant subirait un double choc, d'une part la douleur dévastatrice de la perte de son père et d'une autre l'amer désappointement à votre sujet, car c'était vous, sa mère, qui lui assuriez (peut-être plusieurs fois) que « Papa ira bien. » □ Il faut donc que votre enfant sache si son père se trouve dans un état critique (voir page 76). Et si on vous a dit que le dénouement fatal est imminent, vous devez préparer l'enfant à recevoir le coup. Il vaudrait naturellement mieux que ce soit vous qui lui parliez, mais si votre douleur est si grande que vous redoutez de ne pas pouvoir la maîtriser, priez un proche parent de le faire à votre place. Pourtant, quel que soit celui qui lui parle, il ne doit que le préparer pour la nouvelle tragique et non lui dire que la mort est certaine. Car ce qu'on tâche de faire c'est atténuer le choc qui va venir et non infliger une souffrance prématurée. Il suffit le plus souvent de prendre le petit dans les bras, de le serrer très fort et de murmurer : « Papa nous aime beaucoup, chéri, mais il est très malade. Peut-être ne pourra-t-il pas rester avec nous autant qu'il le voudrait. » Assurez-le en même temps que si son père venait à vous quitter, vous et tous les parents qui l'aiment serez là et aurez soin de lui.

CHAPITRE X

QUESTIONS D'ARGENT

Autrefois on considérait que les questions d'argent étaient trop complexes et trop inquiétantes pour qu'on puisse en discuter avec un enfant. Il serait grand temps lorsqu'il arriverait à l'adolescence (disait la théorie) de lui faire connaître les problèmes et les complications de l'argent. □ Mais les parents modernes en savent plus long. Vous savez bien qu'il faut faire comprendre à un enfant la valeur de la monnaie, qu'il faut lui apprendre à employer l'argent, à le dépenser et à l'économiser avec sagesse. Peut-être êtes-vous surtout consciente des deux dangers qui guettent le jeune auquel on n'a jamais appris la vraie valeur de l'argent : 1) il est possible qu'il lui accorde trop d'importance ; ou 2) il est possible qu'il lui accorde trop peu d'importance. □ La plupart des enfants ne sont que vaguement conscients de l'existence de l'argent jusque vers l'âge de quatre ou cinq ans — quand ils commencent aussi à avoir en main de la petite monnaie et quand ils comprennent qu'il faut de l'argent pour acheter une glace ou des bonbons. C'est alors que la plupart des enfants commencent à comparer leur situation matérielle à celle de leurs compagnons de jeu, c'est alors qu'ils se posent des questions au sujet de l'argent. Ce chapitre contient les plus usuelles de ces questions et des réponses que nous suggérons, assez simples pour que l'enfant moyen les comprenne.

« Pourquoi ne me donnes-tu pas au moins cinq cents ? »

L'enfant qui demande «au moins» cinq cents prouve qu'il est conscient que cinq cents (ou dix cents ou vingt-cinq cents) représentent moins qu'un dollar. Il est aussi clair qu'il pense un peu comme cela : Maman et papa ont des tas d'argent. Ils dépensent des dollars à la fois. Cinq cents n'est rien pour eux. Alors pourquoi ne me les donneraient-ils pas? □ La réponse devrait lui faire comprendre que toute pièce de monnaie a de la valeur. Pour aider le bambin à le comprendre vous pourriez lui expliquer que ces «au moins» cinq cents représentent une partie du prix d'un litre de lait, d'un journal, etc. □ Si vous lui accordez de l'argent de poche régulièrement, il est important de lui rappeler qu'il l'a reçu et que c'est avec cet argent-là et non avec l'argent de la famille qu'il doit s'acheter ce qu'il désire.

« Me donneras-tu dix cents si je range mes jouets ? »

La réponse doit toujours être un « Non » bien ferme. Après quoi — car il est évident que le petit ne comprend pas — expliquez-lui que tous les membres de la famille font des corvées sans qu'on les paie. Maman fait la cuisine, nettoie, etc. Papa tond le gazon, lave l'auto, etc. La soeur met le couvert — et lui il doit ranger ses jouets comme une partie de la vie quotidienne et non comme un moyen pour gagner de l'argent. Si vous ne faites pas comprendre à votre enfant qu'il a à accomplir certaines besognes, il finira par vous demander de le payer pour se laver les dents, pour aller à l'épicerie du coin, pour absolument tout. De pauvres parents en ont fait l'expérience.

« Que puis-je faire pour gagner de l'argent ? »

Souvent les enfants découvrent mieux la valeur de l'argent s'ils travaillent pour l'avoir. Il n'y a donc pas de raison de ne pas les payer — **après** qu'ils auront fait les tâches qui leur incombent — pour certaines corvées supplémentaires qui ne les concerneraient normalement pas. Soyez pourtant sagace lorsque vous choisirez ces corvées. Que ce ne soient pas justement celles qui sont destinées à leur revenir comme des obligations — par exemple de balayer les feuilles mortes ou de nettoyer la neige. Il faut que ce soient des travaux qui ne reviennent pas tout le temps (comme de planter des fleurs dans le jardin) ou des tâches pour lesquelles vous payez quelqu'un d'autre. Faites comprendre depuis le début à votre enfant que vous ne le paierez qu'au moment où il aura fini la corvée de manière satisfaisante. Établissez le prix avant qu'il ne s'y mette. Payez-le et complimentez-le dès qu'il l'aura finie. N'oubliez pas : le travail payé qu'il fait à la maison représente la première rencontre d'un enfant avec le monde des affaires. Comportez-vous envers lui comme en affaires et il répondra par un comportement semblable.

« Pourquoi économiserais-je les dix cents que grand-papa m'a donnés ? »

Votre conseil de déposer son argent sur un compte d'épargne ou dans un autre endroit d'où il ne pourra plus le retirer commencera par le rendre perplexe ; le plus souvent parce que les enfants ont une notion du temps très limitée. Ils ne peuvent pas concevoir un futur qui ne soit ni demain ni après-demain ni, au grand maximum, la semaine prochaine, mais qui disparaisse quelque part, pour des mois, parfois des années. Ce n'est donc pas en précisant la durée, qu'il faut lui expliquer, mais en lui disant simplement que s'il économise dix cents aujourd'hui et encore dix cents la prochaine fois et ainsi de suite, il aura d'ici « quelque temps » de quoi s'acheter une balle (ou ce que vous savez qu'il désire). Plutôt que de lui parler du futur, faites-lui remarquer qu'il y a des choses plus coûteuses que d'autres et que l'argent qu'on économise « s'ajoute ».

« Sommes-nous riches (ou pauvres)? »

Au moment où un enfant pose cette question (et il y a un moment pour presque chaque enfant) il a une idée très vague de ce que signifie « riche » et « pauvre ». Ce qu'il veut le plus souvent c'est qu'on lui dise quel est son état de fortune pour qu'il le compare à celui de ses compagnons de jeu. □ Si vous appartenez à la bourgeoisie et si vous avez tout ce qu'il vous faut et un peu de superflu, vous pouvez répondre en toute honnêteté à votre enfant : « Nous ne sommes ni riches ni pauvres. Nous sommes comme la plupart des gens. »□ Si vous vous considérez comme pauvres, pensez-y deux fois avant d'employer ce mot, qui risquerait de donner à l'enfant un sentiment d'infériorité et de l'inciter à s'apitoyer sur lui-même. Mieux vaut répondre qu'il y en a d'autres de plus riches que vous mais qu'il y en a davantage qui ont moins que vous, que des tas de gens à travers le monde n'ont pas de quoi manger ni une maison pour y habiter. □ Si vous êtes vraiment riche, il est plus sage de ne pas le dire. Un enfant risque de transformer « riche » en « supérieur aux autres » et une telle attitude ne l'aidera pas dans ses rapports avec ces « autres ». □ Il se peut qu'un enfant continue l'enquête qu'il aura commencé en demandant si « nous sommes riches (ou pauvres) » par des questions concernant les voisins ou les amis. Quoi que vous sachiez de leur état matériel, parlez-en le moins possible. Rappelez-vous que l'enfant risque de répéter toute parole que vous aurez dite.

« Combien papa gagne-t-il ? »

Les enfants conçoivent les grosses sommes d'argent tout aussi difficilement que le temps ou le futur. Cent dollars, mille dollars, un million de dollars — c'est tout un pour un enfant. Sa compréhension de la valeur de l'argent ne dépasse pas un ou deux dollars. D'habitude en demandant combien gagne son père il n'espère pas qu'on lui donnera (et il ne comprendrait pas) une réponse précise. Ce qu'il veut savoir c'est si son père gagne plus, moins ou tout autant que d'autres pères. Souvent la question au sujet du salaire de son père vient parce qu'il a entendu un autre gosse se vanter : « Mon père gagne (ta-ta-ta-ta) dollars par semaine ! » (Souvent le salaire avancé est fantastiquement élevé ou ridiculement petit mais aucun des deux bambins n'est capable de s'en rendre compte.) □ Avant de répondre à une question touchant le salaire de votre mari, il est sage de lui bien faire comprendre que les revenus d'une famille — que ce soit la vôtre ou celle du voisin — ne sont pas un sujet de conversation pour les enfants, que c'est une question très personnelle, très intime, dont on ne doit **pas** parler hors de la maison. □ Une fois que vous lui aurez bien inculqué cela, répondez à sa question initiale en déclarant simplement que « Papa gagne environ autant que la plupart des gens. » Si le bambin insiste pour que vous lui disiez une somme exacte, prenez-en une qu'il soit capable de comprendre et dites-lui par exemple : « Papa gagne plus de cinq dollars par semaine. » N'entrez pas dans d'autres détails — à moins que vous ne souhaitiez que le salaire de votre mari soit commenté sur les terrains de jeu. Tranquillisez votre enfant en lui affirmant que le revenu de la famille est suffisant pour faire face à tous les besoins ; ensuite laissez tomber.

« Pourquoi ai-je moins d'argent de poche que Michel ? »

C'est une question à laquelle beaucoup de parents ont à faire face. Le gosse indigné et souvent furieux veut savoir pourquoi il n'a pas quelque chose qu'un autre (ou plusieurs autres) de ses égaux ont. Beaucoup de parents répondent en déclarant simplement (quoique parfois pas en toute vérité) : « Parce que nous ne pouvons pas nous le permettre. C'est ça la raison. » □ Une réponse bien meilleure — et qu'on peut adapter aussi à d'autres questions — serait la suivante : « Chéri, chaque famille a ses propres idées sur la meilleure manière de dépenser l'argent, de dépenser le temps... de vivre. Voilà, nos voisins par exemple. Ils prennent leur dîner à sept heures, ils vont à la pêche presque tous les dimanches, ils ont deux chats. Nous prenons le dîner à cinq heures et demie, nous allons chez grand-mère le dimanche et nous avons un chien. Alors, Michel reçoit plus d'argent de poche que toi parce que les idées de ses parents sur l'argent sont différentes de celles de ton père et des miennes. Il nous semble que

vingt-cinq cents par semaine est amplement suffisant pour un garçon de ton âge. » □ Cette réponse
établit clairement que le petit ne pourra pas vous
forcer à changer vos décisions en invoquant ce
que font ou ne font pas d'autres parents. Il en
résulte que vous avez de bonnes raisons d'avoir
pris ces décisions, que sa famille a, comme toutes
les familles, son propre mode de vie ; qu'il devra
suivre jusqu'à être lui-même adulte.

*« C'est mon argent. Pourquoi ne puis-je pas
acheter ce que je veux ? »*

La réponse dépend de la chose qu'il veut. S'il
s'agit d'un objet que vous considérez comme
dangereux et que vous lui interdiriez en toute
circonstance, votre réponse pourrait être celle-ci :
« Chéri, ce n'est pas une question d'argent. tu ne
peux pas acheter le couteau parce que papa et moi
ne te permettons pas de jouer avec un couteau. »
□ S'il ne s'agit par contre que d'une chose que
vous jugez stupide, grincez des dents et permettez
au gosse de l'acheter. Vous pouvez lui rappeler
qu'une balle lui donnera un plaisir plus durable
que trois gros bonbons, mais laissez-le décider.
S'il fait une bêtise (et il y a toutes les chances qu'il
en fasse) il apprendra encore une leçon sur la
valeur de l'argent : que l'argent dépensé étour-
diment est de l'argent perdu.

CHAPITRE XI

L'ADOPTION

Les parents qui adoptent un enfant sont toujours préoccupés par deux questions : « Lui dirons-nous qu'il est adopté ? » et « Si nous le lui disons, quel serait le meilleur moment et quelle serait la meilleure manière ? » □ Les experts en éducation sont tous d'accord qu'il faut le dire à l'enfant adopté et le plus tôt possible. Pourquoi ? Parce que, s'il n'apprend pas la vérité de la bouche de ses parents, il l'apprendra tôt ou tard de quelqu'un d'autre et venant d'un étranger cela pourra représenter un choc amer pour lui, un coup qui risque de lui causer un chagrin profond (et inutile). □ On ne peut pas fixer un âge où l'enfant doive apprendre qu'il est adopté, mais vers les trois ou quatre ans on peut aborder le sujet. Il saisira peu à peu ce que l'adoption signifie et il se rendra compte qu'il n'est pourtant pas aimé moins que les autres enfants. □ Voici quelques-unes des questions que les enfants adoptés posent le plus souvent après avoir appris la vérité. Il se peut que le vôtre ne dise rien ou presque rien après la première conversation sur l'adoption, il en est ainsi pour beaucoup d'enfants adoptés, mais le temps passera. Les questions ci-dessous expriment quelques-unes des pensées et des craintes les plus fréquentes qui pourraient le troubler alors.

« Pourquoi m'avez-vous adopté ? »

Votre enfant vous posera cette question de multiples fois, parce qu'il veut que vous le rassuriez. Avant de se savoir adopté il considérait que l'amour de ses parents était une chose naturelle. À présent sa confiance est ébranlé, il se sent incertain. C'est pourquoi, que ce soit la première ou la cinquantième fois, la réponse devrait ressembler à ceci : Maman et papa ont toujours désiré un enfant exactement comme lui pour pouvoir l'aimer et le soigner. Ils sont allés dans un endroit où il y avait beaucoup de bébés superbes et ils ont décrit l'enfant qu'ils cherchaient « un adorable petit garçon avec des cheveux blonds et de grands yeux bleus. » Et au moment où ils l'ont vu ils ont su que leurs recherches avaient pris fin. C'était lui l'enfant dont ils avaient rêvé, exactement ce qu'ils souhaitaient. Ils se sont sentis plus heureux qu'ils ne l'avaient jamais été, ils l'ont ramené à la maison et ils l'ont « adopté », c'est-à-dire qu'il est à eux pour toujours.

« *Comment suis-je arrivé à l'endroit où vous m'avez trouvé ?* »

Ce genre de question apparaît après que le petit aura appris le secret de la naissance. La réponse devrait être simple et véridique, par exemple qu'il a poussé dans le ventre de sa vraie mère et qu'ensuite, après qu'il est né, on l'a porté dans la maison où ses parents adoptifs l'ont trouvé.

« *Pourquoi ne suis-je pas resté avec ma vraie mère ?* »

Il est très difficile de répondre à cette question, qui souvent afflige les parents adoptifs eux-mêmes. Car en la posant l'enfant adopté demande : « Quel est mon défaut ? Pourquoi ma vraie mère ne m'a-t-elle pas voulu ? » Les parents adoptifs ne saisissent parfois pas ce qui inquiète l'enfant et dans leur désir de prouver leur amour pour lui ne font qu'accroître son anxiété par une réponse de ce genre : « Ta vraie mère ne te désirait pas autant que nous, chéri. » On ne peut tranquilliser l'enfant adopté qu'en lui affirmant que sa vraie mère le **voulait bien** mais qu'elle n'avait pas les moyens de l'élever, qu'il n'était pas du tout abandonné ou non désiré et qu'il n'a été donné à ses parents adoptifs que parce que ceux-ci l'aimaient, le voulaient **et** avaient la possibilité de s'occuper de lui.

« Qui sont ma vraie mère et mon vrai père ? »

Tout enfant adopté arrive tôt ou tard à être curieux des parents de sa chair et de son sang, ce qui est tout à fait naturel. La plupart des experts pensent cependant que même si les parents adoptifs le savent, mieux vaut ne pas dire à l'enfant qui sont ses vrais parents avant qu'il n'approche de vingt ans, pour être capable d'apprendre ce qu'on sait sans que ses sentiments soient touchés trop violemment. La réponse qu'il faut lui donner quand il demande qui étaient ses parents devrait donc être la simple affirmation : « Je ne sais pas qui ils étaient, chéri. Tout ce que je sais c'est qu'ils t'aimaient beaucoup. » □ **Note :** Beaucoup de parents adoptifs soutiennent depuis quelque temps qu'il faut dire à l'enfant que ses vrais parents sont morts ; qu'un enfant qui croit ses parents morts ne se demande plus pourquoi il a été donné et n'en est donc pas inquiet plus qu'il n'est curieux à leur sujet, ce qui est tout aussi important. Les parents adoptifs qui recommandent ce mensonge propre prétendent que les enfants en sont plus heureux et qu'ils le pardonnent ultérieurement en apprenant la vérité, beaucoup plus tard.

« N'allez-vous jamais me donner ? »

La crainte secrète de beaucoup d'enfants adoptés est que, ayant été abandonnés une fois, ils risquent que cela se répète, surtout s'ils ne sont pas sages. Il faut que les parents adoptifs se le rappellent **en permanence.** Certes, l'enfant adopté doit être discipliné comme tout enfant, mais il ne faut pour rien au monde qu'il ait jamais le sentiment que ses parents adoptifs envisageraient de l'abandonner. Une seule parole dite par mégarde dans un moment de colère peut détruire des années d'amour et ébranler si profondément la confiance que l'enfant accordait à ses parents qu'il en reste pour toujours effrayé et incertain. Les parents adoptifs doivent dire, tant par la parole que par les actes, à leur enfant : « Tu es à nous pour toujours. Tu nous appartiens quoi que tu fasses. »

« Pourquoi t'obéirais-je ? Tu n'es pas ma mère. »

Une mère adoptive sagace comprendra immédiatement que derrière cet éclat, déguisé en colère, il y a le désir de l'enfant d'être rassuré, de s'entendre dire de nouveau qu'il est un membre définitif de la famille. Un enfant met ses parents adoptifs à l'épreuve, inconsciemment, lorsqu'il crie qu'ils ne sont pas ses vrais parents, que sa vraie mère et son vrai père l'auraient mieux traité. Ce qu'il veut qu'on lui dise est que bien qu'il ne soit pas né dans la famille ses parents adoptifs sont vraiment ses parents et comme tels ont droit à son obéissance. Il se peut que l'enfant boude lorsqu'on lui dira, mais derrière la bouderie il y a des flots de soulagement. Ses parents adoptifs ont de nouveau prouvé qu'ils le considèrent comme leur petit garçon à eux.

« Qu'y a-t-il de si particulier dans l'adoption ?»

Cette question prouve que les parents adoptifs ont trop parlé de leur amour pour l'enfant, jusqu'à lui donner le sentiment d'être quelque chose de particulier, de différent des autres enfants. Il faut répondre à la question : « Il n'y a rien de particulier dans l'adoption. C'est simplement une manière d'avoir un enfant. » Il faut de plus faire attention, car l'enfant adopté ne désire pas se sentir particulier. Pour qu'il soit tranquille il doit se sentir aimé d'un amour naturel.

CHAPITRE XII

LA MÈRE AU TRAVAIL

Les millions de mères qui travaillent hors de chez elles ont à résoudre de nombreux problèmes d'ordre pratique : trouver une femme de confiance qui s'occupe du bébé en leur absence ; organiser l'emploi de leur temps ; organiser le temps de l'enfant, etc. Mais si vous êtes comme beaucoup de mères qui travaillent, vos problèmes les plus graves seront d'ordre sentimental et non pratique : un désagréable sentiment de culpabilité, une anxiété irritante parce qu'il vous semble que vous frustrez votre enfant en ne lui donnant pas une mère à temps complet. □ Si c'est là votre problème, faites-lui face tout de suite. Acceptez ce que les experts de l'éducation savent depuis des années : que la **qualité** du temps qu'on passe avec un enfant est plus importante que la **quantité** ; que quatre ou cinq heures de gaieté par jour, avec une mère heureuse, soutiennent un enfant bien plus que quatorze heures par jour avec une mère malheureuse. Rappelez-vous aussi que vous avez le « droit » de travailler, que ce soit pour améliorer votre train de vie, que ce soit pour faire des économies en vue du futur ou que ce soit parce que vous vous ennuieriez à la maison. Quelles que soient les raisons pour lesquelles vous travaillez, vous n'êtes tenue de vous en excuser devant personne, pas même devant vos enfants ni devant vous-même. Pourquoi? Parce que si c'est le travail qui vous rend plus heureuse, il vous rend de ce fait une meilleure épouse et une meilleure mère que vous ne seriez autrement. ☐ Tout enfant s'oppose à être séparé de sa mère et en éprouve du ressentiment. Mais la séparation est inévitable — lorsqu'il commencera à aller à l'école, si vous êtes malade, etc. — de sorte que ce qu'il faut faire c'est l'aider à s'habituer à cette séparation, pour qu'il accepte au plus vite que vous êtes une femme qui travaille, qu'il l'accepte sans se sentir trop frustré. Comment le faire? D'abord en vous assurant qu'on s'occupe bien de lui en votre absence; ensuite, et c'est tout aussi important, en acceptant vous-même que vous êtes une mère au travail.

« D'autres mères ne travaillent pas. Pourquoi travailles-tu? »

La plupart des mères qui travaillent trouvent difficilement réponse à cette question. Qu'elles travaillent parce qu'elles ont besoin d'argent, parce qu'elles aiment ça ou pour les deux raisons à la fois, elles ne tiennent pas à ce que leur enfant se sente « différent » des autres. Vous ne voulez pas non plus qu'il s'imagine que son père ne peut pas subvenir aux besoins de la famille ou que vous êtes moins attachée à votre enfant que les autres mères. Alors comment répondre à cette question? En expliquant tout simplement que **toutes** les mères travaillent, mais que les unes travaillent à la maison, en préparant le manger, en nettoyant, et que d'autres — comme vous — travaillent dans des bureaux, dans des magasins, etc. ☐ Votre enfant vous demandera ensuite pourquoi vous ne travaillez pas vous-même à la maison. Vous pourrez lui répondre en lui expliquant que tout comme son père qui doit quitter la maison pour aller au travail vous le devez aussi, que votre travail n'est pas du genre qu'on puisse faire à la maison. ☐ Ne vous postez pas sur la défensive lorsque vous répondez à ces questions. N'oubliez pas, lorsque votre enfant vous demande pourquoi vous travaillez, ce qu'il veut au fond c'est s'assurer que vous l'aimez et que vous êtes intéressée par son bien-être. Pourvu que vous lui donniez le temps de s'habituer au nouveau programme (et à condition que vous lui consacriez une partie de votre temps quand vous êtes à la maison), votre enfant se fera à l'idée que vous travaillez, sans ressentiment et sans se sentir moins aimé que les autres enfants.

Imprimé au Canada